Anges Prédictions 2024

Rubi Astrologa

Publication indépendante

Copyright © 2024

Astrologues : Alina A. Rubi et Angeline Rubi

Courriel : rubiediciones29@gmail.com

Éditeur : Angeline A. Rubi

rubiediciones29@gmail.com

Introduction

Les anges sont des êtres de lumière qui ont pour mission de nous aider à évoluer et de nous protéger des dangers. Chacun est protégé par un Ange, ou plusieurs Anges, en fonction de sa date de naissance. Votre Ange gardien veille à votre réussite en amour, au travail et dans les autres domaines de votre vie.

Parfois, nous sommes tellement plongés dans une vie stressante que nous oublions que nous sommes accompagnés par des êtres de lumière qui attendent que nous leur demandions de l'aide. Lorsque nous prenons conscience de leur présence et que nous décidons de profiter du cadeau que représente leur présence dans notre vie, notre monde se remplit de magie.

Cet horoscope des anges 2024 contient de nombreux messages spirituels à votre intention. Si vous vous sentez perdu ou si vous vous demandez quelle est votre mission en cette année 2024, vous trouverez ici les réponses. Si vous avez acheté ce Balance, c'est que l'univers essaie de vous dire quoi faire et où aller. Tout ce que vous avez à faire est de découvrir les messages cachés que les Anges vous ont envoyés dans ce Balance.

Les anges existent depuis des milliers d'années dans différentes cultures et civilisations. Ils ont des pouvoirs spéciaux et ont contribué à l'évolution humaine, au changement et au développement de notre société. Les Anges Gardiens seront présents dans votre vie en 2024 pour vous protéger, renforcer vos liens avec le monde spirituel et vous apporter de nombreux miracles.

Archange pour votre signe du zodiaque

Chaque signe du zodiaque a un archange mentor qui le supervise.

Lorsque vient le moment de se réincarner, nous choisissons le signe du zodiaque le plus approprié pour apprendre des leçons de vie qui nous apporteront plus d'expériences pour notre évolution.

Les Archanges nous aident à choisir le signe du zodiaque qui correspond au but de notre âme.

Bélier. Archange Chamuel

L'archange Chamuel signifie "celui qui voit Dieu" et est lié à l'initiative et à la passion, deux qualités très fortes dans le signe du Bélier. Ce signe est infatigable et ne s'arrête pas avant d'avoir atteint ses objectifs.

L'Archange Chamuel donne aux Béliers le pouvoir de décision et l'enthousiasme nécessaires pour atteindre leurs objectifs. Cet Archange est également connu sous le nom de Samael, Chamuel ou Camuel, et est l'Ange de l'harmonie, de la confiance, de la puissance et de la diversité.

Cet archange confère au signe du Bélier une personnalité affirmée et fiable.

Le Bélier est un signe extraverti, impétueux et enthousiaste face aux défis. Il est impatient et se met facilement en colère, mais n'est pas rancunier.

L'Archange Chamuel appartient au Rayon d'Or, à la planète Mars et au jour mardi.

Le message de l'Archange Chamuel au Bélier est le suivant :

Seule l'énergie de l'amour au sein d'un objectif donne une valeur et un bénéfice durables.

Le quartz rose est lié aux énergies curatives de l'archange Chamuel et peut être utilisé pour la guérison émotionnelle en invoquant son nom ou sa présence, car il est spécialisé dans la guérison émotionnelle.

L'Archange Chamuel dirige tous les Anges de l'Amour. Ils donnent au Bélier de la compassion et de l'amour lorsqu'il le demande. Chamuel peut vous aider dans vos relations, surtout en cas de conflits, de complications émotionnelles ou de ruptures. L'Archange Chamuel peut vous aider à trouver votre âme ou votre flamme jumelle et dans toutes les circonstances qui nécessitent une communication spontanée.

Chamuel peut vous aider à construire des structures solides et saines, à améliorer votre capacité à aimer, afin que vous puissiez donner et recevoir de l'amour de manière totalement inconditionnelle.

Chamuel dissout les sentiments de manque d'estime de soi, aide à trouver son but et sa mission d'âme.

L'archange Chamuel représente la force d'affronter et de surmonter les défis de la vie. Si vous ne savez pas ce que vous voulez, Chamuel vous conduira vers des environnements qui vous apporteront la paix, en vous aidant à relâcher les tensions et le stress. L'archange Chamuel est le protecteur des faibles et des humiliés.

Comme l'archange Chamuel voit dans toutes les directions du temps, c'est-à-dire en trois dimensions, il peut vous aider à trouver des choses qui vous ont échappé.

Invoquez l'archange Chamuel si vous vous sentez triste : il vous aidera à guérir, à soulager la douleur et l'incapacité à pardonner.

Pour invoquer ou évoquer l'aide à la guérison émotionnelle avec l'Archange Chamuel, il faut allumer des bougies roses ou placer des roses sur les bougies et demander la guérison.

Tous les Archanges ont une place exclusive sur le plan éthérique de la Terre et vous pouvez trouver leurs sanctuaires par la méditation ou dans vos rêves. Le temple éthérique de l'Archange Chamuel est situé à St Louis, Missouri, USA.

Taureau. Archange Haniel

L'Archange Haniel gouverne le signe du Taureau, ce qui renvoie aux caractéristiques d'intégrité, de confiance et de pragmatisme. Le nom de l'Archange Haniel signifie "grâce de Dieu" et il est l'Ange de l'intellect.

Haniel est lié à la planète Vénus et au vendredi.

Le Taureau est un signe qui aime le confort matériel, le luxe et les produits de qualité. Il est prospère dans de nombreux domaines, mais surtout dans celui de la finance.

Le Taureau est un signe très despotique qui doit apprendre la patience. Il a un penchant naturel pour la stabilité, mais doit veiller à ne pas tomber dans le piège du matérialisme.

L'archange Haniel est également connu sous les noms de Anael, Anafiel et Daniel. Ses couleurs sont l'orange et le blanc.

Cet archange est relié aux rayons blanc et orange.

Haniel a une énergie qui nous pousse à rechercher la sagesse spirituelle, car il est aussi l'Ange de la Communication Céleste et travaille avec les énergies de groupe et les orateurs. C'est un Archange relié à la Lune, il se connecte donc à nous à travers des visualisations et des rêves récurrents. L'Archange Haniel aide à transmuter les vibrations et les énergies sombres et offre sa protection. Il nous accompagne dans les nouveaux départs, dans les phases de transition de notre vie.

Cet Archange apporte l'inspiration dans nos vies, enseigne des leçons et supervise la guérison spirituelle et les différents types de religion. L'Archange Haniel récupère les secrets perdus, harmonise les relations et apporte la beauté en toutes choses. Haniel guérit l'envie, la colère et la jalousie.

L'archange Haniel vous communique des informations sur votre profession et vos relations. Il t'aide sur ton chemin spirituel et t'incite à trouver le but de ta vie. Il t'incite à regarder à l'intérieur de toi et à trouver ta vérité personnelle, car c'est ainsi que tu pourras te défendre.

L'archange Haniel vous aide à vivre dans le présent, à voir la réalité et à reconnaître vos talents et vos capacités.

L'Archange Haniel vous rappelle qu'il est de votre responsabilité d'être en bonne santé mentale et physique. Cet Archange est associé à la guérison par le quartz et les huiles essentielles, c'est pourquoi il supervise les médecins homéopathes. Cet Archange puissant a le pouvoir de transformer la tristesse en bonheur.

Cet archange agit sur les déséquilibres du champ énergétique et apporte la guérison au niveau émotionnel, spirituel et physique.

C'est un archange guerrier qui nous aide à réaliser le but de notre âme, en nous guidant à travers des révélations, des visions et des synchronicités angéliques.

Lorsque vous vous sentez confus ou déprimé, invoquez l'archange Haniel pour qu'il vous donne le don de la persévérance.

Gémeaux. Archange Raphaël

Les Gémeaux sont protégés par l'Archange Raphaël, c'est pourquoi ce signe du zodiaque est si adaptable et sociable.

Raphaël est l'un des principaux anges guérisseurs et guide les guérisseurs.

L'archange Raphaël gouverne la planète Mercure et le jour du mercredi.

Les Gémeaux sont très intelligents et leur outil le plus précieux est leur esprit. Les Gémeaux sont très polyvalents et cette attitude draine leur énergie, conduisant parfois à l'épuisement nerveux et à l'anxiété. Les Gémeaux ont une soif insatiable d'apprendre et leur esprit est très curieux.

L'archange Raphaël est relié au rayon vert. Les pouvoirs de guérison de Raphaël se concentrent sur la dissolution des blocages et leur transmutation en amour.

L'archange Raphaël est connu pour être le chef des anges gardiens et le patron de la médecine, c'est pourquoi on l'appelle aussi l'archange de la connaissance.

Raphaël est également le saint patron des voyageurs et aide à guérir spirituellement et physiquement non seulement les humains, mais aussi les animaux.

Cet archange Raphaël peut vous aider à développer votre intuition et à améliorer votre visualisation créative. Il vous met en contact avec votre spiritualité personnelle et vous permet de trouver la guérison dans la nature. L'émeraude est le quartz de guérison associé à l'Archange Raphaël.

L'Archange Raphaël travaille sur votre subconscient afin que vous puissiez vous libérer de la peur et de l'obscurité. L'équipe des Anges Guérisseurs est dirigée par l'Archange Raphaël ; ces énergies de l'Archange Raphaël et de ses Anges Guérisseurs peuvent être invoquées dans les hôpitaux et dans les circonstances où il y a une personne malade qui n'est pas connue pour souffrir d'une maladie.

L'Archange Raphaël concentre ses énergies de guérison sur la dissolution des blocages dans les chakras qui causent des maladies et aide à éliminer les dépendances.

Raphaël guérit les blessures des vies antérieures, effaçant tout le karma familial hérité.

Vous pouvez invoquer l'Archange Raphaël chaque fois que vous ou quelqu'un d'autre souffre d'une maladie physique, il interviendra directement et vous guidera vers la guérison.

L'archange Raphaël vous rappelle que la guérison passe par le pardon et qu'il est étroitement lié aux guérisseurs de lumière. Raphaël veille à ce que tout ce qui est nécessaire à une guérison réussie apparaisse.

Invoquer l'Archange Raphaël pour être protégé et guidé vous aidera à libérer votre énergie et à vous concentrer. Pour invoquer le pouvoir de guérison de l'Archange Raphaël, allumez des bougies vertes ou jaunes et obtenez des résultats immédiats.

L'Archange Raphaël n'est pas limité par le temps et l'espace et il est capable d'être simultanément avec tous ceux qui invoquent sa présence. Il vient à vos côtés dès que vous lui demandez de l'aide.

Cancer - Archange Gabriel

L'archange Gabriel protège le signe du Crabe. Il règne le lundi.

Le Cancer est un signe très empathique et sensible. Ils semblent gentils, mais ils sont actifs. La famille est la chose la plus importante pour les Cancers.

L'archange Gabriel est connu comme l'ange de la résurrection, l'ange de l'harmonie et de la joie. Il a annoncé la naissance de Jésus-Christ et a communiqué avec Jeanne d'Arc.

L'archange Gabriel lui apprend à rechercher l'aide des anges par la méditation et les rêves et à se soucier de l'humanité dans son ensemble.

Gabriel est l'Archange de l'esprit ; il peut être invoqué lorsque nous avons des problèmes mentaux, pour nous aider à prendre des décisions.

L'Archange Gabriel est le protecteur des émotions et de la créativité. Lorsque nous luttons contre les abus, les dépendances, les familles dysfonctionnelles et pour l'amour, c'est l'Archange Gabriel que nous devons invoquer.

L'Archange Gabriel vous offre la spiritualité et élève votre esprit. Il vous met en garde contre les énergies qui vous entourent.

Gabriel connaît le but et la mission de votre âme, sa mission est de vous aider à comprendre quelles sont vos obligations contractuelles dans cette incarnation.

L'Archange Gabriel augmente la créativité, l'optimisme, dissipe les peurs et donne de la motivation. Gabriel purifie et élève vos vibrations, vous guide dans votre vie et vous aide à vivre fidèlement, en honorant vos talents et vos capacités.

Gabriel vous rappelle que chacun contribue au développement de l'humanité en étant ce qu'il est. Il veut que vous soyez ferme dans vos convictions.

Cet archange vous aidera à connaître la vérité dans les situations de conflit, vous donnera plus de perspicacité et de discernement.

L'Archange Gabriel est un Ange de la Connaissance, lié aux leaders spirituels, qui nous instruit sur nos talents et nous montre les symboles de la mission de notre âme, afin que nous puissions attirer les connexions et les opportunités parfaites.

Invoquez l'archange Gabriel pour nettoyer et purifier votre corps et votre esprit des pensées négatives. Tournez-vous vers lui pour qu'il vous aide dans toutes les formes de communication, y compris la capacité de parler et de vous faire de nouveaux amis.

Lion - Archange Michael

L'archange Michel est le chef des armées célestes et protège le signe du Lion. Son nom signifie "celui qui est comme Dieu" et il est le symbole de la justice. Il est considéré comme le plus grand de tous les archanges.

L'Archange Michael travaille avec le Rayon Bleu et règne le dimanche. Michael aide à la communication et est connu comme le Prince des Archanges.

Le Lion est un signe qui possède d'excellentes capacités d'organisation et qui est toujours prêt à rechercher le succès. Il est compétitif et loyal envers ses proches.

L'archange Michael vous aide à prendre conscience de vos pensées et de vos sentiments et vous encourage à agir. Michael vous offre protection, confiance en soi, force et amour inconditionnel.

L'Archange Michael a pour mission de nous libérer de la peur, de la négativité, du drame et de l'intimidation. Cet Archange a pour mission de démanteler toutes les structures dysfonctionnelles, telles que les systèmes gouvernementaux et les organisations financières corrompues.

Michael est le protecteur de toute l'humanité, vous pouvez l'invoquer pour vous renforcer, pour changer *de direction et pour trouver votre but. Invoquez Michael si vous ressentez un manque de motivation.*

Cet archange travaille pour la coopération et l'harmonie avec les autres et se spécialise dans l'élimination des implants énergétiques et la coupure des liens qui nous paralysent.

L'Archange Michael nous aide à défendre nos vérités sans compromettre nos principes, il apporte la paix et lorsque nous sommes prêts à nous débarrasser de vieux concepts et croyances, l'Archange Michael nous soutient en coupant les liens qui nous lient négativement et nous empêchent de réaliser notre potentiel.

L'Archange Michael guide ceux qui se sentent piégés dans leur profession et nous aide à découvrir la lumière qui est en nous, en nous donnant du courage face aux situations difficiles.

Demandez à l'Archange Michael de couper les cordes énergétiques qui vous lient à des situations néfastes, à des personnes toxiques, à des schémas de comportement et à des émotions.

Les personnes liées à l'Archange Michael sont puissantes, fortes et empathiques. Vous invoquez l'Archange Michael pour protéger votre maison et votre famille, et il vient chaque fois que vous avez besoin de force pour surmonter un conflit difficile.

Vous pouvez visiter leurs temples en méditant ou en dormant, dans le royaume éthérique au-dessus des Rocheuses canadiennes.

Vierge - Archange Raphaël

L'archange Raphaël protège le signe de la Vierge et gouverne la journée du mercredi. Il est l'un des principaux anges guérisseurs et offre ses attributs d'efficacité et d'esprit d'analyse au sixième signe du zodiaque.

Les Vierges sont toujours attentives aux détails, car elles aiment examiner toutes les options avant de prendre une décision. Elles sont parfois timides et n'aiment pas attirer l'attention sur elles.

L'Archange Raphaël gouverne le Rayon #4, le Rayon Vert, et est connu comme l'Ange Gardien principal. Il aide à développer l'intuition et à ouvrir le cœur aux pouvoirs de guérison de l'Univers.

Raphaël vous met en contact avec votre spiritualité et vous permet de trouver la guérison dans les énergies universelles. Il est connu comme le médecin du royaume angélique, car il a la capacité de diriger ses pouvoirs de guérison vers la dissolution des blocages négatifs et des maladies.

Raphaël peut être invoqué pour nous guérir et pour guérir les autres. Raphaël aide à guérir les relations et à éliminer les dépendances. Il soutient les travailleurs de la lumière et

Et nous guide pour apporter des changements positifs dans notre vie.

Pour l'invoquer, allumez des bougies vertes. Vous pouvez visiter ses temples pendant la méditation ou dormir sur le plan éthérique au-dessus de Fatima, au Portugal.

Balance - Archange Haniel

La Balance est un signe protégé par l'archange Haniel, gouverné par la planète Vénus, et le vendredi.

La Balance est un signe impartial qui recherche toujours un équilibre entre l'âme, le mental et l'esprit. Elle est diplomate, stable et équilibrée. La diplomatie est leur caractéristique la plus évidente, car elles peuvent voir les deux côtés d'un conflit, mais sont quelque peu paralysées lorsqu'il s'agit de prendre des décisions.

La signification de l'archange Haniel est la gloire de Dieu et il entre en contact avec nous à travers les rêves. Il nous offre protection et harmonie. Haniel nous aide dans les changements positifs, les nouveaux départs et favorise l'équilibre dans les transitions.

Haniel gouverne la paix, apporte l'inspiration et aide à guérir l'envie et la jalousie.

L'archange Haniel nous incite à vivre dans le moment présent et à voir la réalité en nous. Il nous encourage à prendre soin de nous-mêmes et nous rappelle que nous sommes responsables de notre santé mentale et spirituelle. Il a le pouvoir de transformer la tristesse en bonheur et nous encourage à respecter nos rythmes naturels.

Invoquez l'Archange Haniel pour trouver l'équilibre, réaliser vos intentions et libérer les énergies négatives. Il vous aidera à rester calme lors d'événements importants et renforcera votre confiance. Haniel accorde des dons spirituels et des capacités psychiques et nous rappelle que nous sommes des êtres divins. C'est un ange guerrier, tournez-vous vers lui lorsque vous avez besoin d'un soutien spirituel ou que vous vous sentez émotionnellement faible, il vous donnera la détermination et l'énergie de faire confiance à votre intuition.

Scorpion - Archange Chamuel et Azrael

Le Scorpion est protégé par les archanges Azraël et Chamuel. Azraël est un ange qui gouverne la planète Pluton et Chamuel gouverne la planète Mars et le jour du mardi.

Les personnes sous l'influence du Scorpion ont une personnalité puissante et intense.

Les Scorpions ont une personnalité paranoïaque et sont obsédés par ce qui se passe dans leur vie. Ils s'accrochent fermement à ce qui leur appartient et refusent de céder sans se battre.

Le nom de l'Archange Azrael signifie celui que Dieu aide, il gouverne le Rayon #2 qui contient les vibrations de l'amour et de la sagesse. Azraël est souvent appelé l'ange de la mort et ce nom nous rappelle que la mort est une transformation.

Le but de l'Archange Azrael est d'aider ceux qui sont en transition de la vie physique à la vie spirituelle. Il fait preuve d'une grande compassion et d'une grande sagesse et possède des énergies de guérison universelles pour ceux qui pleurent la perte d'un être cher.

L'Archange Azrael réconforte les gens avant leur mort physique et veille à ce qu'ils ne souffrent pas pendant la mort, en entourant la famille et les amis en deuil d'énergies de guérison.

Invoquez l'Archange Azrael pour réconforter un être cher et transmettre des messages d'amour au monde spirituel. Azrael peut vous aider à traverser les étapes du deuil avec acceptation.

Azrael aide à créer de l'espace dans nos vies pour que de nouvelles énergies puissent y pénétrer.

Sagittaire - Archange Zadkiel

Le Sagittaire est protégé par l'Archange Zadkiel, qui travaille avec le rayon violet, gouverne la planète Jupiter et le jeudi.

Le Sagittaire est optimiste et intuitif par nature, mais il dépasse parfois les limites de la réalité.

Le nom Zadkiel signifie la justice de Dieu, mais il est aussi lié à l'obscurité et à l'inertie. Il nous aide à découvrir les aspects divins qui sont en nous et à développer les capacités qui servent nos objectifs de vie.

Zadkiel est l'Archange de la liberté, du pardon, de l'éveil spirituel, des bénédictions et du discernement. Utilisez la Flamme Violette pour invoquer l'Archange Zadkiel, qui vous aidera à méditer et à développer votre intuition. Zadkiel peut être invoqué pour *apporter le pardon aux autres. Il guide les Anges de la Miséricorde et peut vous aider à être tolérant et diplomate.*

Les énergies de guérison de l'Archange Zadkiel et de ses Anges de la Joie vous aideront toujours à transformer les souvenirs du passé, à surmonter les limitations, à éliminer les blocages énergétiques et à vous libérer des dépendances. Zadkiel vous encourage à aimer et à pardonner sans crainte et vous rappelle vous aimer et d'aimer les autres sans condition.

L'archange Zadkiel est la source d'énergie derrière la pauvreté et la richesse et toutes leurs manifestations, c'est pourquoi il est associé à la chance et au hasard. Zadkiel nous rappelle que la bonne et la mauvaise fortune sont méritées par chaque personne et évalue la chance en conséquence.

L'archange Zadkiel est responsable du début et de la fin des choses et peut être appelé pour mettre fin à une situation douloureuse. L'archange Zadkiel nous aide à trouver le courage intérieur de faire ce qui est juste pour nous-mêmes et pour les autres.

Pour entrer en contact avec l'Archange Zadkiel, utilisez des bougies violettes ou du quartz améthyste. L'Archange Zadkiel est associé au Maître Ascensionné Saint Germain et protège les mystiques,

L'Archange Zadkiel et Sainte Améthyste ont leur retraite éthérique, appelée le Temple de la Purification, sur l'île de Cuba.

Zadkiel guérit les blessures émotionnelles et les souvenirs douloureux, augmente l'estime de soi et aide à développer les talents et les capacités naturelles.

Si vous souhaitez une plus grande tolérance dans les situations conflictuelles, adressez-vous à l'Archange Zadkiel ; il transmutera tout ce qui est sombre et élèvera votre vibration.

Capricorne - Archange Uriel

Le Capricorne est protégé par l'Archange Uriel. Cet Archange signifie Feu de Dieu, gouverne le Rayon Rouge et est associé à la lumière, aux éclairs et au tonnerre.

Uriel est capable de nous montrer comment nous pouvons guérir notre vie, de nous aider à comprendre le concept de karma et de comprendre pourquoi les choses sont ce qu'elles sont. Uriel fait référence à la magie divine, à la résolution de problèmes, à la compréhension spirituelle et nous aide à réaliser notre potentiel.

Uriel devrait être invoqué lorsque l'on travaille sur des questions liées à l'économie et à la politique. Il peut également être invoqué pour obtenir une meilleure compréhension.

Uriel vous aide à vous libérer de vos peurs et ouvre des canaux de communication divine, favorise la paix, nous aide à nous libérer de nos schémas de comportement obsessionnels et apporte des solutions pratiques.

Uriel peut être invoqué pour le travail intellectuel et pour reconnaître la lumière en nous.

L'Archange Uriel a sa retraite éthérique dans les Monts Tatras en Pologne et tu peux demander à y être emmené pour guérir tes peurs.

Verseau - Archange Uriel

Le Verseau est protégé par l'Archange Uriel, qui donne à ce signe un caractère humanitaire.

Uriel travaille avec le rayon rubis et gouverne la planète Uranus.

Le Verseau est indépendant et progressiste. L'Archange Uriel aide à résoudre les problèmes et à trouver des solutions et est l'un des Archanges les plus puissants.

Uriel aide à dissoudre les blocages énergétiques dans le corps et, étant connu comme l'Ange du Salut, il est *capable de nous montrer comment nous pouvons guérir notre vie, en trouvant des bénédictions dans l'adversité, en transformant les défaites en victoires et en nous libérant de fardeaux douloureux.*

Uriel est l'ange de la transformation, de la créativité et de l'ordre divin, il gouverne les missionnaires et est le gardien des écrivains. Il est l'interprète des prophéties et de nos rêves. Il nous incite à prendre la responsabilité de notre vie et apporte des énergies de transformation dans notre esprit.

L'archange Uriel est invoqué pour la clarté et l'intuition. Il travaille à développer en nous les qualités de miséricorde et de compassion. Il offre sa protection, enseigne le service désintéressé et encourage la coopération.

L'archange Uriel purifie les vieilles peurs et les remplace par la sagesse, apportant une lumière vitale à ceux qui ont l'impression de s'être égarés et ressentent des émotions d'abandon et de suicide.

L'archange Uriel travaille à éradiquer la peur et à restaurer l'espoir, et cherche toujours à protéger le bien-être des personnes qui sont incapables d'exercer leur libre arbitre.

Invoquez l'Archange Uriel pour vous aider à développer votre plein potentiel et vous protéger de l'envie.

Vous pouvez demander à visiter ses temples pendant vos séances de méditation ou dans vos rêves. L'Archange Uriel a sa retraite éthérique dans les Monts Tatras en Pologne.

Poissons - Archange Azrael et Zadkiel

Le signe des Poissons est protégé et surveillé par l'Archange Azrael et l'Archange Zadkiel.

L'archange Azraël gouverne la planète Neptune et l'archange Zadkiel la planète Jupiter et le jour jeudi. Zadkiel travaille sur le rayon violet.

Les Poissons ont tendance à être idéalistes et sensibles, et aiment être amoureux. Tous les aspects de la vie doivent être empreints de romantisme.

L'Archange Zadkiel est le gardien de la Flamme Violette, qui a une fréquence vibratoire très élevée.

L'Archange Zadkiel est connu comme l'Ange de la Compréhension et de la Compassion et est associé à l'obscurité, à la contemplation et à l'éducation.

La mission de Zadkiel est de vous aider à vous éveiller spirituellement, en vous accordant des bénédictions conçues par la foi pour accroître la compréhension.

En utilisant la Flamme Violette, l'Archange Zadkiel vous aide à méditer et à augmenter vos capacités psychiques. Zadkiel nous aide à ouvrir notre esprit et nous donne une protection psychique.

Zadkiel encourage la tolérance, aide les gens à s'aimer eux-mêmes et nous relie à la mission de notre âme.

L'archange Zadkiel guérit nos blessures émotionnelles, nous libère et motive les gens à faire preuve de miséricorde envers les autres.

Travailler avec Zadkiel augmente votre estime de soi et vous aide à vous souvenir et à développer vos talents naturels, vos compétences et vos capacités. Appelez Zadkiel si vous avez besoin d'aide pour vous souvenir de détails et de faits spécifiques.

Invoquez l'Archange Zadkiel pour vous aider à guérir et à transcender vos émotions négatives et à améliorer vos fonctions mentales.

L'archange Zadkiel est l'énergie qui sous-tend la pauvreté et la richesse et toutes leurs manifestations, c'est pourquoi il est lié au hasard. Zadkiel distribue la justice sans préjugés, mais il est miséricordieux envers ceux qui le méritent. Il est responsable des commencements et des fins, et peut être invoqué chaque fois que l'on veut mettre fin à une situation chaotique.

L'archange Zadkiel est capable de briser les énergies bloquées ou stagnantes causées par la colère et la culpabilité.

Zadkiel et Santa Ametista ont leur sanctuaire éthérique sur l'île de Cuba.

Ange protecteur de votre signe astrologique

Nous nous sentons souvent seuls, sans protection physique ou émotionnelle. En réalité, même si vous ne le voyez pas, votre ange gardien ou votre guide spirituel est toujours avec vous et vous protège depuis le jour de votre naissance. Invoquez le nom de votre Ange lorsque vous sentez que vous avez besoin d'aide ou de conseils, choisissez de mettre votre vie entre ses mains et il vous guidera sur le meilleur chemin.

Bélier. Ange Annuel

Cet ange donne au signe du Bélier une santé indestructible et une protection contre les forces obscures du mal, y compris l'envie. Le Bélier a une personnalité inflexible et est très prompt au désespoir et à la colère, mais sa compassion et sa sensibilité lui ouvrent toutes les portes. Cet ange gardien est également connu sous le nom de Haniel ou Ariel. Il est l'ange de la créativité et de la sensualité. Il apporte le succès dans les relations, en amour et prévient les chagrins d'amour.

Taureau. Ange Uriel

Uriel entrera toujours dans ta vie quand tu en auras besoin pour des examens, des études médicales et quand tu auras des problèmes de séparation. Uriel protégera toujours ton esprit et éclairera ta pensée afin que tu puisses prendre les bonnes décisions.

Gémeaux. Ange Eyael

Eyael vous protégera toujours de l'adversité et vous débalancera de l'injustice, surtout lorsque vous travaillez. Cet ange est très spécial, il sait qui est bon à côtoyer, c'est-à-dire qu'il t'entourera de personnes influentes qui t'aideront à réussir. Cet Ange t'encourage à toujours voir le côté positif des choses et encourage tes sentiments de générosité et ton désir d'aider les autres.

Cancer. Angelo Rochel

Rochel donne au signe du Crabe une excellente vision pour détecter les dangers, ainsi que de la créativité et du talent pour découvrir des secrets cachés. Il détruira toutes vos peurs et vos ennemis. Demandez-lui de vous donner de la clarté, de la ruse et de l'intelligence.

Leo. Angelo Nelkhael

Nelkhael éloigne de vous la tristesse et le manque d'estime de soi. Il vous protégera des personnes qui vous calomnient par jalousie et vous aidera à tenir vos engagements et à prendre vos responsabilités. Les problèmes de la vie quotidienne seront plus faciles à résoudre sous son influence. Nelkhael vous soutient dans les moments les plus sombres et les plus tristes.

Vierge. Ange Melahel

Lorsqu'il est invoqué, **Melahel élimine la** violence de votre vie et de votre entourage. Cet ange fournit une énergie qui éloigne vos ennemis ou vous rend invisible. Il est également lié à l'harmonie et à la guérison. Il vous amènera à vous connecter à l'univers et à profiter des secrets de la nature.

Balance. Ange Yerathel

Yerathel offre au signe de la Balance beaucoup d'intelligence et d'intuition pour identifier ses ennemis. Cet ange vous donne lucidité et capacité de réflexion, des caractéristiques qui vous permettront de vous entourer des bonnes personnes. Yerathel vous donne les armes de la justice et vous permet d'être sage et tolérant. En invoquant Yerathel, vous obtiendrez le succès.

Scorpion. Azrael Angel

Azrael, connu comme l'Archange de la Mort, vous sauvera de l'injustice et, en même temps, renouvellera votre image et vos espoirs. Il vous rappelle que l'univers vous aime et vous guide sur le chemin de l'amour, de la tendresse et de l'harmonie au foyer. Si vous voulez trouver le bon partenaire pour créer une relation durable et fonder une famille, invoquez cet Ange.

Sagittaire. Ange Umabel

Umabel repousse l'envie dans vos relations et les sentiments qui peuvent vous nuire, comme la colère, la jalousie et la haine. Elle vous donne l'éloquence pour vous exprimer calmement et clairement. Elle vous donne l'art de la persuasion. Vous savez faire pencher la Balance en votre faveur et améliorer vos capacités de communication pour pouvoir expliquer les choses importantes.

Elle vous aide à prendre les bonnes décisions au bon moment.

Capricorne. Ange Sitael

Sitael, construisez des boucliers autour de vous, organisez votre vie et, si vous ne savez pas dans quelle direction aller, réfléchissez-y et concentrez-vous immédiatement. Si vous voulez améliorer votre situation financière, guérir d'une maladie, changer de maison, invoquez cet Ange et attendez le miracle.

Verseau. Ange Gabriel

Gabriel se battra pour toi jour après jour. Si tu as besoin d'aide parce que des personnes te veulent du mal ou te mettent en danger, demande la protection de cet Ange. Si vous craignez que quelqu'un commette une injustice à votre égard, en invoquant cet Ange vous serez sûr de neutraliser votre ennemi.

Poissons. Ange Daniel

Daniel vous gardera toujours à l'abri de la maladie et de la douleur physique, et vous vous sortirez toujours de toutes les mésaventures et de tous les accidents qui vous arrivent.

Les nombres angéliques et leur signification

Nous évoluons spirituellement et chaque jour, les séquences de nombres sont perçues par un nombre croissant de personnes. Ces messages, qui proviennent d'une source supérieure, à savoir nos anges ou nos guides spirituels, sont destinés à vous guider.

Les anges veulent attirer notre attention et communiquer avec nous par le biais de ces nombres séquentiels. C'est ainsi qu'ils nous aident à guérir notre vie. Malheureusement, certaines personnes ignorent ces signaux en pensant qu'il s'agit de coïncidences, alors qu'il s'agit en fait de synchronicités.

Vos Anges vous envoient des messages par le biais de séquences de nombres, ils peuvent vous chuchoter subtilement à l'oreille de regarder à un endroit précis et de remarquer l'heure sur l'horloge ou le numéro sur une publicité. Ils vous montrent des séquences de nombres significatives d'une manière physique en plaçant une voiture devant vous, lorsque vous êtes arrêté dans un embouteillage, avec un numéro de plaque d'immatriculation spécifique.

Lorsque vous remarquez qu'une séquence de chiffres se répète, demandez aux Anges ce qu'ils essaient de vous dire et vous verrez qu'ils vous donneront les informations dont vous avez besoin. Observez vos pensées avec zèle et veillez à ne penser qu'à ce que vous voulez et non à ce que vous ne voulez pas.

Les nombres en séquence ont une signification spécifique, ces nombres ont des messages en trois dimensions et nous guident dans notre vie.

En apprenant à interpréter ces nombres, vous vous sentirez davantage connecté aux Anges, et cette connexion est la clé qui vous ouvrira la porte de la paix, de l'espoir et de l'amour.

Chaque nombre a des vibrations qui se rapportent directement à sa signification et les Anges attirent notre attention sur ces séquences de nombres parce qu'ils ressentent de la dévotion et de l'amour pour nous. Lorsque vous remarquez une séquence de nombres, essayez d'écouter ce que votre Ange veut que vous fassiez ou que vous sachiez.

Plus vous verrez ces signes, plus ils apparaîtront dans votre vie. Lorsque vous comprendrez la signification de ces nombres et accepterez qu'ils ne soient pas des coïncidences, mais des messages importants ayant un but, vous apprendrez à communiquer avec vos Anges.

Ces séquences de chiffres peuvent être des dates de naissance, des anniversaires, des numéros de téléphone ou des plaques d'immatriculation, et sont un rappel subtil que quelque chose de magique est en train de se produire dans votre vie. C'est à vous d'aller à l'intérieur de vous-même, d'écouter votre intuition et de découvrir ce que les messages vous disent et ce qu'ils signifient pour vous.

Comment lire les chiffres des anges

Les nombres nous entourent dans notre vie quotidienne et lorsque nous reconnaissons et interprétons ces séquences de nombres, nous pouvons nous sentir plus connectés à nos anges. Cette connexion nous permet de créer un lien puissant avec le royaume angélique.

L'interprétation de ces séquences de nombres est un moyen efficace de recevoir des messages des anges gardiens et des guides spirituels. Vous devriez toujours utiliser vos capacités intuitives.

L'ordre des nombres dans une suite de nombres

L'ordre des chiffres dans une séquence a une signification. Si vous voyez qu'il y a trois chiffres dans une séquence, le chiffre du milieu est la cible principale, car il représente la clé du message,

Chaque chiffre doit être analysé indépendamment, puis tous les chiffres doivent être additionnés.

Exemple : une suite de chiffres de 172 peut être interprétée de différentes manières. Le chiffre 7 doit être interprété en premier. Le nombre entier 172 doit être additionné et réduit à un seul chiffre : $1 + 7 + 2 = 10$ $(1 + 0 = 1)$. Le chiffre 1 est donc le message le plus pertinent de cette séquence de chiffres. N'oubliez pas de toujours faire appel à votre intuition et à votre esprit pour déchiffrer le message. Peu importe que vous ne compreniez pas le message d'un point de vue humain, votre subconscient le comprend.

Séquence de chiffres. Répétition de 0

Le chiffre 0 est lié à la méditation. Le point de départ, la totalité et les cycles continus. Ou encore l'Alpha et l'Oméga.

Le nombre 0 contient les attributs de tous les nombres. Alpha est le début et Omega est la fin. Tous les nombres avec 0 vous rapprochent de l'énergie universelle.

Si le chiffre 0 est répété, son message est lié aux aspects spirituels, car le 0 représente le début d'un voyage spirituel et les incertitudes qui peuvent survenir. Lorsque le 0 est répété, il vous demande d'écouter votre intuition, car c'est là que vous trouverez toutes les réponses.

La séquence 00 est liée à la méditation. L'Univers met l'accent sur la nécessité d'être attentif.

La séquence 000 veut que vous veilliez à ce que vos pensées et vos désirs soient de nature positive, car c'est ce que vous attirerez dans votre vie.

La séquence 0000 indique qu'une situation ou un problème est terminé.

Lorsqu'il est combiné à un autre nombre, le potentiel du nombre 0 est amplifié et stimule les énergies et les vibrations du nombre avec lequel il est combiné.

Séquence de nombres. Répétition de 1

Le chiffre 1 est synonyme de nouveau départ, d'individualité, de succès, de force et de créativité.

Le chiffre 1 est le chiffre où toute manifestation commence. C'est l'énergie qui initie toutes les actions et c'est le nombre des nouveaux projets, du courage et du désir d'expansion à tous les niveaux.

Tous les nombres sont divisibles par 1. Nous ne faisons qu'un, nous sommes donc tous connectés. Lorsque le chiffre 1 des anges apparaît, c'est un message qui vous invite à analyser vos pensées et à vous concentrer sur vos désirs avec un état d'esprit positif.

L'ange numéro 1 parle de changements et de nouvelles actions qui demandent de la détermination si l'on veut atteindre le but. Cela signifie qu'une porte énergétique s'est ouverte pour que vos pensées se concrétisent rapidement. Vous devez choisir vos pensées, en veillant à ce qu'elles correspondent à vos désirs. Ne vous focalisez pas sur vos peurs, car vous risquez de les manifester dans votre vie.

__Le nombre 11 est__ un nombre maître et est lié à la mission de notre âme. L'essence du message de cette séquence de nombres est de développer l'intuition et les facultés métaphysiques. Le chiffre 11 représente le début de votre illumination spirituelle. Si le chiffre 11 apparaît de façon répétée, vos Anges vous demandent de faire attention à vos pensées et idées répétitives.

Lorsque le __chiffre 111__ apparaît, vous devez contrôler soigneusement vos pensées et vous assurer que vous ne pensez qu'à ce que vous voulez vraiment.

__La séquence 1111__ apparaît à de nombreuses personnes et est un signe qu'une opportunité s'ouvre à vous et que vos pensées se manifestent à la vitesse de la lumière. Le 1111 signifie que l'Univers vient de prendre une photo de vos pensées et qu'il manifeste vos idées sous une forme matérielle.

Séquence de nombres. Répétition de 2
Le chiffre 2 est lié aux énergies de la paix, de la diplomatie, de la justice, de l'altruisme et de l'harmonie.

Le chiffre 2 est la vibration de l'équilibre, de l'intuition et de l'émotion. C'est le chiffre de la tolérance et si vous le voyez souvent, cela signifie que vous devez avoir la foi, la confiance et le courage pour que vos demandes se manifestent. Il faut être patient, mais tout s'arrangera.

L'essence du maître nombre 22 est le potentiel de maîtrise de tous les domaines : spirituel, physique, émotionnel et mental. Le nombre 22 est synonyme d'équilibre et de nouvelles opportunités.

Lorsque le numéro d'ange 22 se répète dans votre vie, il vous demande d'avoir une attitude équilibrée et paisible dans tous les domaines de votre vie. Le message est de garder la foi.

Le message de l'**ange numéro 222** est que tout ira bien à long terme ; par conséquent, vous ne devriez pas dépenser votre énergie sur des choses négatives.

La séquence numérique 2222 *indique que vous devez continuer à avoir des pensées positives, des affirmations et des visualisations positives. Les récompenses sont en route.*

Séquence de nombres. Répétition de 3

Le chiffre 3 *est lié aux vibrations et aux énergies de la liberté, de l'inspiration, de la créativité, de la croissance, de l'intelligence et de la sensibilité.*

Le chiffre 3 indique une explosion d'énergie en action et représente l'abondance sur le plan physique, émotionnel, mental, financier et spirituel.

*Lorsque l'**ange numéro 3** apparaît très souvent, cela signifie que les Maîtres Ascensionnés sont proches de vous. Ils ont répondu à vos prières et souhaitent vous aider dans votre mission d'âme.*

*Le **nombre 33 est un** nombre maître et son message est que tout est possible. Si vous envisagez un grand changement dans votre vie, le nombre 33 indique que si vos objectifs et vos intentions sont de nature positive, vos désirs se manifesteront.*

*Le **nombre 333 vous** envoie le message que vous devez avoir foi en l'humanité. Les Maîtres Ascensionnés travaillent à tous les niveaux et vous protègent. Ils vous guideront sur votre chemin.*

La séquence de nombres 3333 *indique que les Maîtres Ascensionnés et les Anges sont proches de vous à ce moment-là, qu'ils sont conscients de votre situation et qu'ils connaissent la meilleure façon de faire les choses. Ils vous aideront.*

Séquence de chiffres. Répétition de 4

Le chiffre 4 *est lié aux énergies du travail, du sens pratique, de la productivité et de la loyauté.*

Le chiffre 4 *représente les quatre éléments : Air, Feu, Eau et Terre, et les quatre points cardinaux : Nord, Sud, Est et Ouest. Il symbolise le principe de la mise en forme des idées et, lorsqu'il apparaît constamment, il indique que vos Anges sont autour de vous. Les Anges vous apportent leur soutien et leur force pour que vous puissiez effectuer le travail nécessaire. Ils se rendent compte que vous travaillez pour atteindre vos objectifs et vous aident.*

Le nombre 44 indique que les *anges vous soutiennent et que vous avez un lien fort avec le monde angélique.*

*Le message de la séquence du **nombre angélique 444** est que vous n'avez rien à craindre car tout est comme il se doit et tout va bien. Les choses sur lesquelles vous avez travaillé vont réussir. La répétition de 444 indique que vous êtes entouré d'Anges qui vous soutiennent.*

La séquence du nombre angélique 4444 indique que vous êtes entouré d'anges qui veillent sur vous et vous soutiennent dans votre vie quotidienne. Ils vous encouragent à continuer à travailler pour atteindre vos objectifs. Le 4444 est un message qui vous indique que l'aide dont vous avez besoin est à portée de main.

Séquence de chiffres. Répétition de 5
Le chiffre 5 *est lié aux attributs de la liberté personnelle, de l'individualisme, des changements de vie et des leçons tirées de la vie.*

*L'apparition de l'**ange numéro 5** indique que des changements sont à venir dans votre vie, mais qu'ils seront pour le mieux. Les énergies s'accumulent pour forcer les changements nécessaires ; ces changements arriveront de façon inattendue, mais ils apporteront des opportunités positives qui vous pousseront dans la bonne direction.*

La séquence de chiffres 55 *est un message de tes Anges qui te dit qu'il est temps de te libérer des restrictions qui t'ont retenu dans le passé. Il est temps de vivre. Le nombre 55 annonce de grands changements à venir, s'ils ne sont pas déjà en cours.*

La séquence des nombres 555 indique que des *changements monumentaux vous attendent dans votre vie. Le nombre 555 vous indique que ces transformations importantes sont arrivées et que vous* *avez la possibilité de découvrir la vie merveilleuse que vous méritez en tant qu'être spirituel.*

La séquence de nombres 5555 *est un message indiquant que votre vie est sur le point de subir de grands changements,*

Séquence de chiffres. Répétition de 6

*Le **chiffre 6** symbolise l'intégrité, la paix, l'altruisme et la croissance.*

Lorsque l'ange numéro 6 apparaît de façon répétée, il parle de notre capacité à utiliser notre intellect pour obtenir des résultats positifs. Lorsque le chiffre 6 apparaît, vos Anges vous disent d'équilibrer vos pensées, de vous débarrasser de vos doutes ou de vos inquiétudes concernant les questions financières.

Le numéro d'ange 66 *est un message de confiance en l'Univers et en vos Anges, afin que vos désirs concernant la vie familiale et sociale se réalisent. La répétition du nombre 66 vous indique de garder vos pensées concentrées sur la réalisation de vos objectifs.*

La séquence de nombres 666 *indique qu'il est temps de vous concentrer sur votre spiritualité pour guérir les problèmes de votre vie. Le nombre 666 vous demande d'être réceptif pour recevoir et accepter l'aide dont vous avez besoin. L'ange numéro 666 peut* également indiquer que vos pensées sont déséquilibrées.

La séquence de nombres 6666 un indique que vos pensées sont déséquilibrées et que vous vous concentrez sur les aspects matériels de la vie. Les énergies de la prospérité sont détournées et l'anxiété est un obstacle.

L'ange numéro 6666 vous demande d'équilibrer vos pensées entre le spirituel et le matériel, de garder la foi et la confiance dans le fait que vos besoins matériels et émotionnels seront satisfaits.

Séquence de chiffres. Répétition du 7

Le chiffre 7 est lié aux énergies de la spiritualité, de la sagesse et de la sagesse intérieure.

Le chiffre 7 est un chiffre mystique qui symbolise le besoin profond de connexion spirituelle de l'humanité.

L'ange numéro 7 indique que vous êtes sur la bonne voie et que vous verrez les choses se dérouler librement pour vous. Votre tâche consiste à maintenir votre enthousiasme.

La répétition du chiffre sept évoque une période bénéfique de réussite et de maîtrise de soi et indique que vos ambitions peuvent être réalisées et les défis surmontés.

La suite de chiffres 77 signifie que vous êtes sur la bonne voie et que les récompenses arrivent. Vous devez rester ferme.

***L'ange numéro 777** vous avertit que le moment est venu de récolter les fruits de votre travail et de vos efforts. Vos souhaits se réaliseront. Le nombre 777 est un signe positif.*

***La séquence 7777 est un** message de vos Anges vous indiquant que vous êtes sur le bon chemin et que vos rêves et désirs se manifestent dans votre vie. C'est un signe extrêmement positif qui signifie que d'autres miracles sont en route pour vous.*

Séquence de chiffres. Répétition de 8

Le chiffre 8 est lié aux énergies de la richesse, de l'argent, du pouvoir, des affaires, de l'investissement, de l'indépendance, de la paix et de l'amour pour l'humanité.

L'ange numéro 8 indique que l'abondance financière est sur le point d'entrer dans votre vie. Étant le nombre du karma, le 8 suggère que vous recevrez des récompenses.

***La répétition du nombre 88** est un message de maîtrise des finances et suggère que le travail sera justement récompensé.*

La séquence de chiffres 888 indique que votre objectif de vie est soutenu par l'Univers. L'Univers est généreux et veut vous récompenser, de sorte que la prospérité financière entrera dans votre vie. Elle peut également indiquer que vous terminez une phase de votre vie.

Le nombre 8888 indique qu'il y a de la lumière au bout du tunnel et est un message vous invitant à profiter des fruits de votre travail.

Séquence de nombres. Répétition de 9
Le chiffre 9 est lié aux vibrations de l'intelligence, de la compassion et de l'intuition.

Lorsque le nombre angélique 9 apparaît, c'est un message que le but de votre vie et la mission de votre âme est de rendre service à travers vos talents et vos passions. La séquence des nombres 99 est un message pour se rappeler de vivre une vie positive et réussie à tous les niveaux.

Le nombre 999 indique que le monde a besoin que vous utilisiez vos talents, que vous êtes un opérateur de Lumière et que les Anges vous demandent de vivre à la hauteur de votre potentiel.

La séquence de chiffres 9999 est un message adressé aux personnes qui sont des ambassadeurs de la lumière sur la planète Terre pour qu'elles continuent à faire briller leur lumière.

Carte des anges pour chaque signe du zodiaque 2024

Bélier. Carte des anges de Zadchiel

Zadchiel est l'Ange de la Miséricorde, symbolisant l'altruisme et le désintéressement pour le bien d'autrui. Zadquiel vous aidera à devenir une personne compatissante. Il vous aidera à retrouver les objets perdus, à améliorer votre mémoire et à guérir physiquement, émotionnellement et mentalement. Zadquiel vous aidera à apprendre à vous pardonner et à pardonner aux autres, à vous souvenir des informations importantes et à étudier. Si vous voulez vous libérer des préjugés, invoquez l'archange Zadquiel, car l'une de ses tâches principales est de vous aider à voir votre lumière intérieure.

Vous cesserez de considérer les erreurs comme des aspects négatifs de votre vie et commencerez à les voir comme un moyen d'apprendre. Vous verrez également vos échecs comme des bénédictions dans votre vie, parce que la perfection est impossible à atteindre et que même dans le chaos, il y a de la beauté.

Tu t'efforceras de devenir la meilleure version de toi-même, la meilleure personne que tu puisses imaginer. L'archange Zadquiel est un être supérieur que vous pouvez invoquer lorsque vous ressentez de la frustration, de la tristesse ou de la négativité. Ses armées peuvent vous aider à trouver le côté positif de toute situation et à vous sentir mieux émotionnellement.

Il est temps de se défaire des sentiments de culpabilité liés aux erreurs du passé. Reconnaissez que vous avez fait de votre mieux, même si les résultats n'ont pas été à la hauteur de vos espérances. Concentrez-vous sur les changements que vous avez apportés et qui ont fait de vous une meilleure personne.

Taureau. Carte des anges d'Uriel

Uriel, l'ange des clés, vous avertit de prendre de nouveaux chemins et de vous méfier des mauvaises influences. Si vous commencez à douter de vous ou à perdre la foi, cette carte vous rappelle que tout est possible grâce à l'apprentissage. La connaissance peut ouvrir toutes les portes et de nouvelles compétences peuvent ouvrir toutes les serrures. La *flamme du savoir ne s'éteint jamais et est à votre portée.*

Uriel ne vous conduira jamais sur un chemin incertain sans raison. Il est là pour vous soutenir tout au long de votre parcours, vous permettant de dire votre vérité et de devenir la meilleure version de vous-même.

Cette lettre vous rappelle que vous êtes plus sage que vous ne le pensez et que votre sagesse intérieure vous donnera toutes les réponses que vous cherchez. Accueillez cette connaissance et faites-lui confiance. Si vous avez des doutes, demandez-lui de vous donner des signaux clairs qui valident vos idées.

Uriel aide à éclairer les situations les plus obscures. Cependant, il n'éclaire qu'une étape à la fois, et il se peut donc que vous ne puissiez pas discerner clairement le résultat de vos actions. Vous devez avoir confiance qu'avec l'aide d'Uriel, vous saurez quelle étape franchir en cours de route.

N'oubliez jamais que le pardon peut faire des miracles. Lorsque vous vous libérez du passé, un poids est enlevé de vos épaules et vous ressentez un sentiment de liberté. Demandez à Uriel de vous aider à soulager la tristesse ou la douleur causée par les autres, afin que vous puissiez être libre.

Gémeaux. Carte de l'ange Raphaël

Il représente la force et la brillance personnelles.

Pour réussir, il est nécessaire de capitaliser sur sa personnalité. Le don le plus puissant de Raphaël est sa capacité à transformer les vies par une cascade d'énergie positive. On peut accéder à ce canal énergétique par des affirmations ou des techniques de méditation. Au cours de l'histoire, Raphaël est apparu dans de nombreuses religions, ce qui en fait un archange accessible aux personnes de toutes confessions.

Ce n'est pas le moment de renoncer à des relations malsaines. Il y a encore de l'espoir pour l'avenir.

Votre vie va connaître de grands changements. Vous pourriez vous retrouver dans une nouvelle carrière, dans une nouvelle relation, ou déménager dans une nouvelle maison ou une nouvelle ville. Profitez de ces événements passionnants, Rafael sera à vos côtés tout au long du chemin.

N'oubliez pas que l'avenir est toujours en évolution. Si vous n'aimez pas le résultat, vous avez la possibilité de le changer. Si le résultat vous plaît, continuez sur votre lancée. Pour rester sur votre voie, continuez à faire ce que vous faites. Calmez-vous ou changez l'intensité avec laquelle vous travaillez.

Raphaël vous aidera à reconnaître les ramifications de vos actions et votre but dans la vie.

Cancer. Carte de l'ange Haniel

Il représente tout ce que la terre a à offrir. Il annonce une nouvelle phase de succès dans votre vie.

Haniel peut vous demander de ralentir et de réfléchir attentivement aux actions que vous voulez entreprendre.

Haniel essaie de te guider vers un choix plus élevé, alors mets de côté tout ce que tu penses savoir sur tes *circonstances ou ta situation actuelle et permets simplement à l'Univers et à Haniel de te montrer le chemin.*

Lorsque vous devez prendre une décision importante, cet Ange vous enverra de nombreux signaux par synchronicité pour vous indiquer la bonne voie à suivre.

Il est important que tu prennes le temps de te ressaisir, car cet ange peut venir te donner les conseils dont tu as besoin à ce moment-là.

Cette lettre est apparue pour vous apporter des messages d'espoir et vous indiquer qu'il est temps de prendre conscience de tous les messages que l'Univers et Haniel vous envoient.

Peut-être avez-vous besoin de réponses à des questions difficiles, ou peut-être vous demandez-vous si les choses vont s'améliorer dans votre vie. Haniel est apparu pour te dire que tu devras cependant réfléchir attentivement à ce que tu dis aux autres et à ce qu'ils te disent. Haniel ne vous jugera jamais pour ce que vous pensez ou dites, mais vous encouragera à vous concentrer sur les choses qui vous donnent un sentiment de joie, de paix et de gratitude.

Lion. Carte de l'ange Gabriel

Gabriel te montre la dualité du bien et du mal. Il
annonce des voyages,
 Il se peut que tu commences à avoir des pensées qui
te surprennent. Il est important de garder à l'esprit
que plus votre réaction émotionnelle à ces pensées est
forte, plus vous devez y prêter attention. Remarquez ce
que les autres vous disent et qui coïncide avec ce que
vous pensez. Lorsque vous demandez à Gabriel de
confirmer que ce que vous pensez est vrai, il est
toujours prêt à agir, alors soyez attentif.

Vous avez peut-être envie de consacrer du temps à la méditation ou à la lecture de Balances de développement personnel. Gabriel vous encourage à le faire car il sait combien il est important de remplir votre esprit de pensées positives.

Gabriel vous permet de comprendre que pendant que vous faites des changements dans votre vie et que vous faites face à des défis, vous êtes en totale sécurité. Il sait ce qui est le mieux pour vous. Rappelez-vous que lorsqu'on vous demande d'attendre, cela signifie qu'il y a quelque chose de mieux que ce que vous pouvez imaginer, préparé juste pour vous. C'est pourquoi vous devez accepter la situation.

Ne vous précipitez pas lorsque vous voyez quelque chose qui pourrait briser votre volonté. La porte suivante s'ouvrira le moment venu et vous aurez une nouvelle force.

Vierge. Carte des anges de Remiel

Remiel représente la miséricorde de Dieu, montrant que vous avez été privé de quelque chose. En cette année 2024, il est très important de se consacrer à l'acquisition de nouvelles connaissances, idées et compétences. Peut-être souhaitez-vous commencer à apprendre et cette carte vous encourage à suivre ce désir.

Si vous êtes étudiant, Remiel vous demande de poursuivre votre formation. Parfois, lors de l'acquisition de nouvelles connaissances et compétences, nous avons envie de les mettre rapidement à l'épreuve de la pratique, ce qui conduit de nombreuses personnes à quitter l'école prématurément.

Cette lettre vous conseille de ne pas vous précipiter. Continuez à étudier. L'épanouissement personnel qui découle de l'apprentissage peut vous apporter de la joie.

Remiel sait qu'il exerce de nombreuses responsabilités dans la vie et qu'il a donc besoin de temps, d'argent et d'autres ressources. Cette carte lui rappelle que des doses régulières de plaisir peuvent l'aider à atteindre ses objectifs. Amusez-vous et riez, détendez-vous. Dans cet état, vous devenez plus réceptif aux nouvelles idées, aux connexions spirituelles, aux enseignements et à l'énergie divine.

En outre, votre bonne humeur attire vers vous de nombreuses personnes merveilleuses qui peuvent vous aider. Votre attitude positive à l'égard du monde vous ouvre de nouvelles opportunités.

Balance. Carte de l'Ange de Saint Michel

L'archange Michel représente la justice et les forces du bien qui l'emportent sur le mal.

Vous n'êtes pas obligé de pardonner les erreurs, mais si vous pardonnez à quelqu'un, vous trouverez la paix. Il est conscient que ces sentiments peuvent être tout à fait justifiés, mais il vous demande de voir le prix élevé que vous payez pour avoir accumulé toute cette colère.

Débarrassez-vous de toutes les douleurs et colères du passé. Lorsque vous vous pardonnez à vous-même et *aux autres, votre karma est nettoyé du fardeau des erreurs passées.*

Tout le pouvoir du créateur est en vous. Tout le pouvoir de l'amour et de la sagesse divins est à votre disposition. Tu as la capacité de voir les anges et l'avenir, et tu as aussi l'intelligence de connaître la sagesse universelle de l'esprit divin.

Grâce à votre force émotionnelle, vous pourrez tenir tête aux autres et votre pouvoir psychique sera vraiment infini au cours de l'année 2024. Les anges vous demandent d'éliminer toutes les peurs liées à l'utilisation de la force. Ils voient votre véritable pouvoir rayonner de l'amour divin. Laissez-vous rayonner par cet amour, afin que votre véritable pouvoir puisse accomplir les miracles dont vous avez besoin.

Vous pensez parfois être pris en otage par les circonstances de la vie, mais cette carte vous demande de réaliser que vous êtes votre propre prisonnier. Lorsque vous comprendrez que vous pouvez vous libérer, vous le ferez immédiatement.

Tout ce que vous faites dans votre vie, vous le faites par choix. Même les prisonniers sont libres de choisir leurs pensées, ce qui leur permet de trouver la paix et le bonheur en toutes circonstances. La prochaine fois que vous commencerez une phrase par les mots "Je suis obligé...", arrêtez-vous. Demandez à Miguel de vous montrer des alternatives. Il vous aidera.

Scorpion. Carte de Raziel l'Ange

Il est l'Ange des secrets et des mystères. En 2024, il vous révélera les mystères du monde terrestre et spirituel.

Cette année marque le début d'une période de croissance spirituelle dans votre vie et même si vous éprouverez des sentiments mitigés de confusion, de peur et de surprise, vous ne devez pas perdre votre sang-froid. Abandonnez vos peurs. Raziel vous soutient, vous aime et vous guide à chaque instant. Ne t'inquiète pas de savoir comment ton avenir s'harmonisera avec ta croissance.

Tu recevras des messages importants dans tes rêves. C'est une période de changements merveilleux dans ta vie, alors fais confiance à Raziel, il s'occupera exactement de ce que tu veux.

Les changements dans votre vie peuvent être douloureux si vous ne faites pas preuve de souplesse d'esprit. Si vous avez un nouvel amour, n'oubliez pas que le passé reste dans le passé, loin du nouveau bonheur.

Tu as besoin d'élargir tes horizons et Raziel est là pour t'aider. Il est temps d'écouter ton cœur. Prends conscience de l'importance du toucher et ne sois pas trop têtu. Aie confiance en toi. Ne t'inquiète pas. Quels que soient les défis que tu rencontres, tu es sur le chemin de la sérénité.

Tu as besoin de réconfort et cet ange te donne confiance. Bientôt, tu seras sur le chemin du bonheur et de l'harmonie dont tu as besoin. Fais de bonnes actions, elles t'aideront à te sentir mieux et tu recevras de bonnes choses en retour.

Sagittaire. Carte de l'ange Metatron

Il représente la grandeur et la force qu'une personne devrait avoir. En invitant Metatron dans votre vie, vous vous ouvrez à la guérison spirituelle et énergétique, vous vous purifiez de toute négativité. Vous vous protégez des maladies et, bien sûr, vous vous rapprochez de la transformation.

Vous devez honorer toutes les émotions que vous ressentez à ce moment-là, qu'elles soient positives ou négatives. Les émotions peuvent nous apprendre beaucoup sur nos véritables sentiments et sur les personnes ou les situations qui les ont suscités.

Vous pouvez recevoir des commentaires d'autres personnes et c'est le miroir qui vous permet de voir ce qu'il y a à l'intérieur de vous.

Metatron vous protège en coupant les cordes qui vous lient aux gens, aux lieux et aux choses. Si vous avez peur, si vous manquez de courage ou si vous avez besoin de protection, imaginez son manteau protecteur autour de vous, vous aidant à vivre votre vérité. Il s'agit d'une carte spéciale. Vous êtes guidé et soutenu. Metatron est avec vous en ce moment et il y a un message spécial qu'il veut partager avec vous. Fermez les yeux, respirez profondément, entrez-en vous-même et détendez-vous. Écoutez les conseils que vous recevez.

Vous êtes parfait, et c'est un fait spirituel. Metatron vous embrasse doucement et vous fait savoir que vous êtes un être spirituel parfait. Vous n'êtes pas seul, peu importe ce que vous ressentez. Remets tous tes soucis entre ses mains et permets-lui de guérir tes problèmes grâce aux conseils divins.

Votre vie a un sens et chaque étape est une partie essentielle de votre voyage, mais soyez assurés que vous êtes protégés à tout moment et que tous les anges veillent sur vous avec beaucoup d'amour. Faites confiance.

Capricorne. Carte de l'ange Raguel

C'est l'Ange qui prodigue des conseils aux hommes pour les guider sur le chemin de la vie.

 Votre âme sœur va entrer dans votre vie. Si vous êtes libre, considérez la carte comme un signe de Raguel que votre âme sœur est présente.

Supposons que vous soyez dans une relation et que vous sachiez que cette personne n'est pas votre âme sœur. Dans ce cas, vous et votre partenaire serez doucement guidés pour améliorer la relation, ou pour y mettre fin avec élégance, afin d'obtenir une nouvelle relation avec votre âme sœur.

Une meilleure concentration sur les désirs de votre cœur et un meilleur contact avec votre Moi supérieur vous aideront à accomplir toutes les tâches et à résoudre tous les problèmes que vous avez remis à plus tard. Vous avez peut-être une liste d'objectifs pour cette année 2024, mais vous devriez libérer votre esprit et mieux concentrer vos pensées sur ce que vous voulez vraiment et vous serez en mesure de réaliser vos souhaits.

Visualiser vos souhaits est le moyen le plus rapide d'ouvrir la porte à l'univers et à son offre de les réaliser. Ne vous préoccupez pas de savoir comment vos souhaits se réaliseront. Laissez-les entre les mains de l'univers.

Écoutez votre moi supérieur et demandez aux anges de vous guider. Commencez à agir dès que vous vous sentez encouragé. Parfois, les résultats ne seront pas ceux que vous attendiez, mais c'est la beauté de la vie et de l'univers. Vous êtes guidé vers ce dont vous avez vraiment besoin.

Verseau. Carte de l'ange Amiel

Il est annonciateur des changements auxquels vous devrez vous adapter et des territoires inconnus que vous devrez visiter.

Offrez-vous des moments de qualité avec votre famille et vos amis. Vous pouvez puiser beaucoup de force auprès de ceux qui vous aiment. Si vous avez un problème avec un membre de votre famille ou un ami, Amiel vous encourage à le faire remonter à la surface.

La libération et la guérison vous libèreront, créant des opportunités plus favorables pour vous. Ou peut-être que le simple fait de passer du temps de qualité avec vos proches produira des résultats positifs.

En progressant spirituellement, vous deviendrez plus sensible aux vibrations denses et négatives de la réalité, ainsi qu'aux dimensions supérieures de l'amour. Cette carte vous incite à nettoyer votre espace énergétique.

Cette année, respirez calmement et imaginez que vous êtes entouré d'une sphère de lumière blanche. Amiel vous apporte ses bénédictions.

Vos prières seront entendues et exaucées. L'amour, les finances, l'amitié et la famille seront déterminés par votre attitude. Demandez à Amiel de vous aider à vous traiter avec le respect que vous méritez. Lorsque vous êtes dans cet état d'estime de soi, vous êtes plein d'énergie positive qui se répand sur les gens autour de vous. Cela vous permet d'attirer des relations positives et aimantes qui sont gratifiantes.

Poissons. *Le thème des anges de Dobiel*

Mensajeros

Dobiel

Messager des secrets divins.

Qu'il s'agisse d'anges, de membres de la famille, de voisins ou d'amis, vous recevrez de l'aide. En demandant de l'aide, vous permettez à l'univers d'agir en votre faveur. Croyez que vous serez guidé vers la bonne personne ou la bonne situation qui pourra vous aider dans n'importe quel domaine.

Nous ne sommes pas des îles en soi et nous ne sommes pas obligés de résoudre tous les problèmes de manière indépendante. Les anges aiment partager, et un problème partagé est la moitié du problème. Ne craignez jamais de demander de l'aide. Les miracles existent et vous y avez droit.

Vous devez vous encourager à rester positif et à vous concentrer uniquement sur ce que vous voulez. Penser à ce que l'on ne veut pas ne donne que des résultats négatifs. Le simple fait de se concentrer sur des pensées positives peut améliorer votre vie.

Si vous sentez que vous manquez d'approche positive, demandez de l'aide à l'univers et, surtout, croyez qu'il vous aidera. Même ce petit geste contribuera à faire une grande différence dans votre vie.

Vous avez les compétences, la confiance et les connaissances nécessaires pour diriger une entreprise prospère. Qu'attendez-vous ? Avec cette carte, Dobiel veut vous dire que vous avez le talent pour réussir dans votre entreprise. Si vous avez pensé à devenir indépendant et à créer votre propre entreprise cette année 2024, cette carte est un bon signe que votre intuition est juste. Il est parfois difficile de faire le premier pas, mais soyez assuré que Dobiel vous guide dans cette affaire et faites-lui confiance.

Signification de 2024

2024 est le nombre idéal pour créer. En effet, sa vibration est liée à un vaste domaine de possibilités infinies.

Cette vibration peut prendre différentes formes. Elle peut façonner votre avenir ou peindre dans votre esprit une image de ce que sera votre vie lorsque vos désirs les plus profonds se réaliseront. Cela vous donnera la motivation nécessaire pour aller de l'avant dans votre vie.

2024 est une année puissante car vos sens psychiques seront renforcés. Si vous souhaitez avoir plus d'intuition ou ouvrir votre perception, c'est l'année idéale pour le faire. C'est le moment idéal pour créer au sens littéral du terme. En fait, c'est un nombre angélique très créatif.

Couleurs angéliques pour la guérison physique et spirituelle en 2024

Les couleurs qui nous entourent et celles que nous choisissons pour décorer notre vie ont des significations et des vibrations spécifiques qui nous affectent de différentes manières.

Toutes les couleurs influencent notre humeur et nos sentiments. C'est pourquoi les couleurs ont été utilisées pour guérir les maladies, se protéger, attirer l'âme sœur et élever l'esprit.

L'effet des couleurs sur l'esprit humain et la capacité à les utiliser pour exprimer des émotions et des situations sont utilisés depuis la préhistoire. C'est pourquoi l'importance des couleurs est fondamentale pour la pérennité de notre espèce et notre survie.

La signification des couleurs peut être exprimée à un niveau émotionnel et spirituel. Au niveau émotionnel, nous ressentons l'influence de la couleur sur le système nerveux. Des couleurs différentes évoquent des sentiments différents. Les couleurs peuvent induire l'action, le calme, l'anxiété ou la tranquillité ; notre humeur est donc influencée par les couleurs que nous choisissons pour nos vêtements et notre environnement.

Bélier. Couleur verte 2024

Le vert est une couleur utilisée pour la guérison, car elle génère du bien-être. Il est considéré comme la couleur idéale pour la guérison, stimule la croissance, la force vitale, équilibre le corps et l'esprit et renforce. Le vert est rajeunissant et anti-inflammatoire. Il favorise la mémoire, atténue la paranoïa et l'épuisement nerveux.

La couleur verte a un effet palliatif sur le système nerveux, calme les irritations et soulage les douleurs. Sur le plan physique, elle est liée aux muscles, aux os et aux poumons. Elle est excellente pour traiter les problèmes liés au cœur et au système circulatoire. Elle équilibre la tension artérielle.

La couleur verte guérit les sentiments de remords et permet de surmonter les émotions limitantes. L'énergie verte guérit l'insécurité et les sentiments d'inadéquation.

La couleur verte aide à surmonter les obstacles et à changer de direction, stimule la glande pituitaire et est efficace pour atténuer les déséquilibres émotionnels. Elle peut être utilisée pour lutter contre les crises de panique et les dépendances.

Taureau. Couleur Marron 2024

Le brun aide à contrôler l'hyperactivité, l'hypertension et l'anxiété, car il est réparateur. Le brun peut également aider à soulager les situations douloureuses, tant physiques qu'émotionnelles, car il a un effet stabilisateur et procure un sentiment de guérison. Il facilite la connexion avec la Terre et donne un sentiment d'ordre.

Le brun contribue à la stabilité de tous les systèmes de l'organisme et du système immunitaire.

Boutons de manchette. Couleur jaune 2024

Le jaune est utilisé pour réduire la dépression, car il éveille des sentiments de joie et de bonheur.

Le jaune stimule l'esprit et le système nerveux, active la mémoire et la communication. Il est relié au foie, à l'estomac, à la thyroïde, aux trompes, au gros intestin et à l'intestin grêle.

Le jaune est utilisé pour contrôler les glandes surrénales, la vésicule biliaire, le foie et l'estomac.

Le jaune peut être utilisé pour traiter des problèmes psychologiques tels que la dépression et la mélancolie, aide la mémoire défaillante et peut être utilisé pour traiter l'épuisement psychologique. Il a la capacité de travailler sur la peur et de relâcher progressivement la tension. Cette couleur est liée à l'estime de soi, à l'ego, au courage et à la confiance en soi.

Couleur rouge cancer 2024

Le rouge est utilisé pour traiter les maladies paralysantes et pour stimuler l'énergie vitale. Il est revitalisant et aide à surmonter la dépression et la mélancolie. Il aide ceux qui craignent la vie.

Cette couleur est liée aux glandes surrénales et aux sens de l'ouïe, de l'odorat, du goût, de la vue et du toucher. Le rouge est lié au système circulatoire, au cœur, aux organes sexuels et à la vessie. Le rouge provoque une augmentation de l'hémoglobine et de la température corporelle.

Cette couleur est bénéfique pour les états de faiblesse, pour traiter l'arthrite, les douleurs musculaires et les maladies bactériennes, ainsi que pour stimuler le métabolisme.

Si vous avez tendance à vous attarder sur le passé, le rouge vous aidera à vous concentrer sur le moment présent.

Lion. Rose 2024

Le rose a des propriétés curatives bénéfiques, mais c'est aussi la couleur de l'amour inconditionnel.

Cette couleur a la capacité d'augmenter la tension artérielle, le rythme cardiaque et le pouls, ainsi que de stimuler et de donner confiance.

Il aide à retrouver la jeunesse, est utilisé pour traiter les problèmes liés au manque d'estime de soi, les sentiments de solitude et est utilisé pour atténuer la jalousie. Elle peut également être utilisée pour calmer les problèmes émotionnels et mentaux, elle est très relaxante et favorise les sentiments de satisfaction.

Vierge. Couleur gris 2024

Le gris est excellent pour la purification mentale et physique. Le gris élimine les énergies négatives du corps et les remplace par des énergies positives.

C'est la couleur de l'intellect et de la sagesse intérieure, qui encourage et renforce la patience et la persévérance. Le gris est considéré comme une couleur classique et élégante. C'est la couleur de la dignité et de l'autorité.

Sterling. Couleur bleu 2024

La couleur bleue symbolise le calme et la paix de l'esprit. C'est une couleur qui augmente la conscience et la connexion avec les royaumes angéliques.

Cette couleur abaisse la tension artérielle, calme le système nerveux et est anti-inflammatoire. Elle apporte la tranquillité, la paix de l'esprit et réduit la douleur.

Il régule le sommeil, détend et rafraîchit et apporte la clarté mentale. Le bleu représente l'inspiration et l'expansion spirituelle.

Scorpion doré Couleur 2024
L'or est une couleur de guérison et de transformation.

Dans la thérapie par la couleur, elle est utilisée pour vaincre les dépendances et est un antidépresseur car elle est source d'inspiration.

L'or est lié à la confiance et à l'estime de soi, à la créativité, à l'abondance et à la prospérité.

Sagittaire. Couleur orange 2024
Les énergies curatives de la couleur orange stimulent la conscience intérieure. En thérapie, l'orange est utilisé pour revitaliser les énergies. Elle est utilisée pour les maladies émotionnelles et pour aider les états dépressifs, car elle réveille la joie et l'intérêt pour la vie. Elle a la capacité d'éliminer le manque de confiance en soi et a un effet antispasmodique sur le corps humain.

Il est utilisé pour traiter l'asthme, la bronchite et d'autres problèmes respiratoires. Il aide également à maintenir une bonne vue et renforce le système immunitaire.

La couleur orange renforce le corps éthérique et favorise la santé en général.

Capricorne. Couleur Magenta 2024
Le magenta est une couleur liée aux capacités de guérison. En thérapie, c'est la couleur de la guérison et elle est utilisée pour traiter les problèmes liés au cerveau et pour calmer les sentiments de frustration.

Cette couleur peut être utilisée pour négocier le calme et la paix entre des personnes en désaccord.

Le magenta est lié à des passions fortes mais contrôlées et est une couleur qui encourage l'audace.

Cette couleur représente la compassion et la gentillesse et est la couleur de l'équilibre émotionnel et de l'harmonie universelle.

C'est la couleur du changement et de la transformation. Elle aide à se débarrasser des vieux schémas de comportement qui entravent le développement personnel et spirituel, en encourageant les gens à prendre la responsabilité de créer leur propre réalité.

Aquarium. Couleur blanc 2024
Le blanc nous relie à une fréquence spirituelle plus élevée et à l'amour divin. Il favorise la clarté mentale et nous encourage à éliminer les obstacles.

Il a des propriétés purifiantes, aide à penser clairement et révèle la vérité. C'est une couleur qui guérit et qui a le pouvoir de transformer.

En thérapie, le blanc est utilisé pour stimuler la conscience et dans la guérison des maladies, en équilibrant tous les systèmes spirituels.

Les vibrations de la couleur blanche sont les plus rapides du spectre et englobent toutes les couleurs. Elle est considérée comme la couleur de la vérité, de la pureté, de la neutralité, de la paix et de l'harmonie.

Poisson. Couleur Argent 2024

L'argent est une couleur curative qui favorise la croissance spirituelle. Il élimine les énergies négatives du corps et les remplace par des énergies positives. Il est lié à la renaissance et à la réincarnation, ainsi qu'à la guérison des déséquilibres hormonaux. C'est une excellente couleur pour la purification émotionnelle et mentale, car elle agit sur les émotions.

En thérapie, la couleur argent est utilisée pour les déséquilibres hormonaux et les maladies gynécologiques.

La couleur argent symbolise les énergies protectrices et représente le mystique et le mystérieux. L'argent aide à éliminer et à neutraliser les énergies sombres.

Prédictions angéliques pour le signe 2024

Prévisions pour le Bélier

L'année 2024 indique que l'amour, les nouvelles connaissances et la passion vous attendent. Des richesses inattendues peuvent arriver, vous apportant la sécurité dans votre vie financière. Mais n'oubliez pas que vous devez accepter l'incertitude et être ouvert à des changements inattendus dans votre vie. Dans votre vie professionnelle, vous obtiendrez succès et reconnaissance.

Un avenir radieux vous attend. Il est conseillé de regarder à l'intérieur de soi et de valoriser les qualités que l'on possède depuis l'enfance, en se rappelant que mûrir ne signifie pas abandonner son essence la plus pure, mais la laisser grandir avec soi. Vous aurez la possibilité de trouver un emploi plus proche de vos intérêts et qui stimule votre vie à bien des égards, en dehors de l'aspect économique.

Prévisions pour Taureau

L'année 2024 sera également chanceuse sur le plan matériel, mais vous devrez travailler dur pour obtenir tout ce que vous désirez.

Vous aurez beaucoup de prospérité économique et de joie intérieure. Vous devez être prêt à recevoir une protection dans le domaine économique, la prospérité entrera dans votre vie de telle sorte que les inconvénients matériels disparaîtront. Vous commencerez une nouvelle vie et vous atteindrez aussi l'abondance spirituelle.

Il peut y avoir des difficultés à résoudre les problèmes, il faut donc avoir confiance en soi, car tout sera une épreuve que l'on pourra surmonter.

Votre ange vous conseille de rester à l'écart des situations conflictuelles et d'essayer de neutraliser les critiques de vos collègues de travail.

Maintenez votre discipline, sans négliger la recherche d'un emploi offrant de meilleures conditions et un environnement plus sain. Vous terminerez l'année avec plusieurs propositions sur la table, n'oubliez pas de demander l'éclairage divin pour prendre les meilleures décisions.

Prévisions pour les Gémeaux

L'amour et la sécurité sont au rendez-vous cette année. Vous aurez un partenaire stable et heureux.

Amour et joie. La lumière de l'amour entre dans votre vie, il vous suffit d'être patient. Profitez de la stabilité et du bonheur qui s'annoncent et que vous devez accueillir à bras ouverts. Laissez tomber les sentiments de solitude et recevez l'amour pur qui vous attend. Vos rêves sont sur le point de se réaliser. Peut-être que vos souhaits ne se réaliseront pas exactement comme vous le souhaitiez, mais la récompense sera exactement ce que vous espériez.

Votre ange vous met en garde contre des situations qui pourraient s'aggraver si vous n'y prêtez pas attention. Prêtez une attention particulière aux problèmes ou troubles abdominaux, qui peuvent également concerner les organes reproducteurs. Une attention opportune préservera votre bonne santé.

Après une période au cours de laquelle vos finances ont fluctué, vous retrouverez la stabilité cette année.

Prévisions concernant le cancer

Vous souvenez-vous de la magie du monde qui vous entourait pendant votre enfance ? Les Anges te demandent de retrouver ce sentiment de magie en te rappelant les merveilleux pouvoirs qui t'entourent. Les Anges veulent vraiment te soutenir, t'aider à te débarrasser des angoisses inutiles pour rayonner de joie et de spontanéité comme un enfant.

Vous protégerez votre liberté avant toute autre valeur, malgré les critiques des autres ou les éventuelles disputes qui pourraient survenir.

Il se peut que vous vous sentiez plus à l'aise seul que dans des entreprises qui ne vous permettent pas de vous développer. Les voyages et les longues conversations avec des amis peuvent vous donner le feu vert pour changer de partenaire ou repenser les termes de votre relation.

Ce sera une année de test, car seuls ceux qui comprennent la vie librement resteront, tandis que ceux qui ne la comprennent pas prendront certainement des chemins différents.

Prévisions pour le lion

Vous n'êtes pas seul, les Anges Gardiens veulent vous dire qu'ils ne vous abandonneront jamais. Rien de ce que vous pensez, dites ou faites ne peut repousser vos accompagnateurs divins.

Restez calme dans les situations de la vie quotidienne, car vous pourriez continuer à souffrir d'insomnie cette année. N'essayez pas de faire face à plus que ce que vos forces peuvent supporter et vous verrez des changements positifs dans votre santé physique et mentale.

Votre économie connaîtra de grands changements au cours de l'année 2024. Vous devriez vous tenir à l'écart des personnes dont l'attitude vous prive d'énergie au lieu de vous en donner. Ne craignez pas la nouveauté ; rappelez-vous que votre ange sera prêt à vous aider à trouver un nouvel emploi de façon excellente et rapide.

Votre ange vous conseille de vous concentrer sur le travail et de mettre de côté la compétitivité de votre signe, car toute cette énergie débouchera sur des chefs-d'œuvre, à condition que vous vous concentriez.

Votre éclat personnel sera indéniable, vos possibilités sentimentales se multiplieront, c'est pourquoi vos anges vous conseillent de rester prudent et d'éviter les *tentations afin de concentrer vos énergies sur le bon chemin.*

Prévisions pour la Vierge

Cette année, vous devriez choisir une profession qui vous plaît. Les anges vous aideront à trouver ces talents en vous.

Soyez prêt à faire face à des événements inexplicables et profitez de toutes les opportunités. Les Anges Sages vous suggèrent de vous débarrasser des habitudes qui vous empêchent d'avancer. Faites des choses différentes et observez votre vie avec intérêt. Si le chemin à parcourir est compliqué, agissez comme si vous exploriez un lieu inconnu. Les Anges vous incitent à aller de l'avant dans l'attente et l'espoir.

Vous aurez l'occasion de créer votre propre destin sentimental, en mettant de côté vos doutes et en prenant quelques risques supplémentaires.

Prenez des précautions, car un encouragement ou une récompense fera que beaucoup de gens envieront vos triomphes. Votre ange vous conseille de renforcer votre estime de soi et de reconnaître que vous êtes un être doué qui mérite le meilleur de ce que l'univers peut vous donner.

Si vous avez un partenaire stable, la fin de l'année sera une période très favorable pour poursuivre les engagements visant à unir les groupes familiaux et à les réorganiser. Les grands investissements soutenus par votre partenaire auront des résultats positifs.

Prévisions pour la Balance

L'année 2024 est très importante pour vous. Vous devez méditer plus souvent. Pour cela, lorsque vous vous réveillez le matin, restez au lit pendant les cinq premières minutes, les yeux fermés et respirez profondément. Parlez-leur et écoutez ensuite attentivement le message qui vous sera envoyé.

Les Anges vous disent de vous éloigner de toutes les activités qui ne reflètent pas vos intentions.

Toutes les questions relatives au travail, aux relations et à la santé seront résolues avec un succès surprenant. Les anges vous guident constamment vers des actions qui corrigeront toute situation négative.

Votre ange vous montrera le chemin de la réconciliation avec ceux que vous avez laissés derrière vous et vous rappellera qu'il n'est pas bon de se séparer de ceux qui vous ont montré une loyauté constante.

Des allergies et des problèmes de gorge peuvent survenir.

Votre ange activera votre vie sociale de manière inimaginable. Gardez un rythme détendu et évitez les exercices fatigants.

Prévisions pour le Scorpion

Cette année 2024, vous devez faire confiance à votre intuition. C'est ce que les Anges vous disent. Les sensations intuitives que tu éprouves, les visions, la voix intérieure, sont autant de tentatives pour te dire quelque chose d'important ; tu dois donc te fier à ces directives et les suivre.

Rappelez-vous que lorsqu'on vous demande d'attendre, cela signifie que quelque chose de mieux que ce que vous pouvez imaginer est préparé juste pour vous. C'est pourquoi vous devez changer d'attitude et accepter la situation. Détendez-vous.

Demandez à votre Ange de vous soutenir tout au long de l'année afin que vous puissiez écouter les conseils divins. Ne vous précipitez pas lorsque vous voyez quelque chose qui pourrait briser votre volonté.

La porte suivante s'ouvrira le moment venu et vous reprendrez des forces.

Les anges vous aideront à satisfaire vos besoins romantiques. Demandez-leur de l'aide et acceptez-la. Les anges vous aideront à trouver l'amour de votre vie, *ils vous guideront, vous montreront le chemin pour réaliser vos désirs.*

Par exemple, vous pouvez ressentir un fort désir d'aller à un certain endroit. Vous y rencontrerez une personne avec laquelle vous aurez une relation amoureuse.

Les Anges souhaitent également que vous amélioriez votre éducation.

Prévisions pour le Sagittaire

Un nouveau chapitre de votre vie s'ouvre. Vous aurez un nouveau partenaire ou une ancienne relation sera rétablie. Ouvrez votre cœur à ce nouveau sentiment d'amour qui vous envahit.

Regardez bien les personnes que vous rencontrez sur votre chemin, soyez ouvert aux changements dans les relations existantes et ne vous accrochez pas trop à vos vieilles idées à leur sujet. Le moment est venu d'apporter de merveilleux changements dans votre vie, alors faites confiance aux Anges.

Certains changements dans votre vie peuvent être douloureux si vous ne faites pas preuve de suffisamment de souplesse dans vos pensées et vos actions. Si vous avez un nouvel amour, n'oubliez pas que le passé doit rester dans le passé, loin du nouveau bonheur.

Votre relation actuelle pourrait se terminer ou, au contraire, entrer dans une nouvelle phase d'amour renouvelé, les Anges vous demandent de leur faire confiance et de suivre leurs instructions.

Si tu as déjà une relation étroite avec quelqu'un, les Anges te demandent de lui donner une chance et de décider ce qu'il faut en faire, en essayant de la développer à un niveau supérieur ou d'y mettre fin pour faire place à un nouvel amour. Dans les deux cas, les Anges seront à vos côtés pour vous aider à choisir le bon chemin !

Prévisions pour le Capricorne

Le moment est venu de vous instruire. Les Anges vous conseillent de ne pas économiser vos forces ou votre temps pour cette activité, mais de lire, d'écouter et de vous développer.

Au cours de cette année, il est très important que vous vous consacriez à l'acquisition de nouvelles connaissances, idées et compétences. Il se peut que vous souhaitiez commencer à apprendre et, si vous étudiez, les Anges vous demandent de poursuivre votre éducation.

Parfois, au cours du processus d'acquisition de nouvelles connaissances et compétences, nous avons le désir de les tester rapidement dans la pratique, ce qui conduit de nombreuses personnes à quitter l'école prématurément. Poursuivez votre formation.

Le développement personnel qui accompagne l'apprentissage peut vous apporter de la joie si vous vous rappelez que vos pensées doivent rester ici et maintenant.

Demandez à vos anges de vous aider à vous débarrasser de la peur de la pauvreté afin que vous puissiez profiter pleinement de la croissance de l'abondance. Les anges signalent l'arrivée de l'abondance dans votre vie. Dans votre vie. Continuez à croire, cela vous apportera un soutien matériel, émotionnel, spirituel et intellectuel constant.

Prévisions pour le Verseau

Cette année, détendez-vous, donnez aux Anges la possibilité de vous aider. Tout ce que vous abandonnez sera remplacé par quelque chose de meilleur.

Vous vous obstinez et cela n'est pas bon pour vous et ne permet pas au bonheur et à la santé d'entrer dans votre vie.

Si vous êtes malheureux en amour, si vous ne progressez pas dans votre carrière, si vous avez des problèmes familiaux ou financiers, ainsi que des maladies, laissez les Anges régler la situation.

Si vous persistez dans les aspects négatifs de votre vie et craignez que les choses ne s'aggravent, elles s'aggraveront. En revanche, si vous êtes prêt à vous libérer de la situation qui vous oppresse, la situation actuelle s'améliorera merveilleusement.

Les Anges vous demandent de ne pas essayer de contrôler l'issue de votre situation négative actuelle. Laissez-vous aller.

Les Anges confirment qu'à travers vos sentiments, rêves, visions et intuitions, vous les écoutez vraiment et qu'il ne s'agit pas d'hallucinations. Si vous avez soudain le désir de téléphoner à quelqu'un, d'aller quelque part, de lire quelque chose, il est important que vous suiviez ces impulsions intérieures, les Anges vous demandent d'abandonner tout doute sur la guidance divine.

Prévisions pour les Poissons

Les Anges connaissent vos déceptions passées qui ont miné votre foi en vous-même, dans les autres et même dans les Anges, mais ils vous rappellent l'importance de préserver votre foi.

Les Anges savent que, comme tout le monde, tu as commis des erreurs dans le passé. Mais ces erreurs ne changent rien à ta vraie nature. Il y a en vous une partie de la nature divine qui est infaillible. Les Anges vous demandent de croire en vous-mêmes. Essayez de faire en sorte que vos pensées et vos sentiments reflètent vos véritables intentions.

Les Anges vous demandent de bien choisir vos objectifs et de les réaliser avec amour. Visualise-toi parmi d'autres personnes qui sont heureuses, qui réussissent et qui sont en paix. En gardant vos intentions hautement spirituelles, vous vous aidez vous-même et aidez les autres. Les Anges te demandent de remplacer les habitudes de pensée négatives par des habitudes positives, alors demande-leur de t'aider.

Les lois spirituelles pour chaque signe en 2024

Bélier. Loi d'intention

Les intentions sont plus puissantes que les désirs. L'intention libère une force qui fait bouger les choses. Quel que soit votre objectif dans la vie, si vous rassemblez l'énergie et le gardez à l'esprit, la puissance de l'Univers soutiendra votre vision. Tel est le véritable pouvoir de l'intention.

Dans l'évaluation du karma, les intentions sont prises en compte. Lorsque vos intentions sont honorables, vous serez récompensé pour la pureté de vos idéaux. C'est l'intention qui indique la justesse d'une idée ou d'un projet. Veillez à ce que vos intentions ne proviennent pas de l'ego, mais qu'elles visent le bien le plus élevé, car l'énergie universelle soutient le bien le plus élevé.

L'énergie universelle soutient votre intention, elle est la base de la manifestation.

Taureau. Loi de la réflexion

Le miroir de l'Univers est si précis que ses secrets les plus profonds apparaissent dans les reflets que vous voyez de vous-même. Chaque personne et chaque situation de votre vie est un miroir de vos aspects, bons ou mauvais, positifs ou négatifs.

Lorsque l'Univers nous présente quelqu'un ou quelque chose dans notre vie, c'est un miroir. La loi spirituelle du reflet nous rappelle nous regarder dans le miroir et de nous changer. Plus vous êtes gêné par une caractéristique d'une autre personne, plus votre âme attire votre attention sur un reflet que vous devez voir.

Si l'Univers veut vraiment attirer votre attention sur quelque chose, il vous donnera trois pensées à regarder et à analyser.

Quelle que soit la personne qui entre dans votre vie, regardez-vous dans le miroir et analysez ce qu'elle a à vous apprendre. Lorsque vous comprenez la loi de la réflexion, vous pouvez développer votre croissance spirituelle en observant ce que la vie essaie de vous enseigner.

Gémeaux. Loi du flux

Nous vivons tous dans un univers d'énergies. Tout circule, tout change. La loi du flux régit tous les domaines de notre vie.

Si quelque chose est saturé, rien de nouveau ne peut être ajouté. Si vous accumulez des choses, qu'il s'agisse d'argent, de vêtements, de voitures, d'idées ou de vieilles déceptions, il n'y aura pas de place pour l'entrée de choses nouvelles et positives. Par conséquent, pour que la nouveauté entre dans votre vie, vous devez vous débarrasser du passé.

Si vous vous accrochez à de vieilles émotions, vous vous remplirez de vieux souvenirs qui vous empêcheront de vivre des choses plus heureuses.

Dès que vous enlevez de votre maison et de votre vie les choses dont vous n'avez pas besoin, la loi du flux fera en sorte que quelque chose d'autre prenne leur place. C'est à vous de choisir de remplacer le bric-à-brac par d'autres bric-à-brac ou de transformer votre niveau de conscience pour attirer quelque chose de plus élevé. Si vous conservez vos croyances, les mêmes circonstances ou scénarios se reproduiront.

Si nous commençons à faire des changements, même insignifiants, quelque chose de différent et de nouveau s'imposera automatiquement.

Si vous voulez que quelque chose soit différent, faites les choses différemment.

Cancer. Loi de la résistance

Chaque fois que vous vous concentrez sur quelque chose, vous l'attirez. Par vos pensées et vos croyances, vous invitez des personnes, des situations, des expériences et des biens matériels dans votre vie. Lorsqu'ils arrivent, si nous n'en voulons pas ou n'en avons pas besoin, nous essayons de nous en détourner.

De nombreuses personnes invoquent la loi de la résistance sans s'en rendre compte. Votre subconscient et votre esprit universel fonctionnent comme des ordinateurs. Vous ne pouvez pas dire à un ordinateur de ne pas afficher un certain document si vous avez cliqué dessus, car il n'est pas programmé pour accepter des instructions contradictoires. Il supposera que vous voulez ce fichier et l'affichera à l'écran. Votre esprit conscient sait faire la différence entre une instruction négative et une instruction positive, mais votre subconscient ne sait pas faire la différence.

Si vous faites constamment une affirmation, vous faites appel à votre subconscient. Par exemple, certaines personnes sont malades parce qu'elles résistent à la maladie. Elles pensent toujours : "Je ne veux pas être malade", le mot "malade" s'insinue constamment dans leur subconscient, jusqu'à ce qu'elles tombent malades.

Les mots - Non, je ne peux pas, je ne veux pas - sont des mots qui crient la loi de la résistance.

La loi de la résistance est activée par la conscience de victime, par ceux qui rendent les autres responsables de leur sort, par ceux qui croient que le monde a une dette envers eux et par ceux qui s'apitoient généralement sur leur sort. Lorsque quelqu'un se croit malheureux, il se comporte en victime et résiste à l'abondance.

Lion. Loi de projection

Chaque aspect de nous-mêmes se reflète en nous. Tout ce que nous percevons à l'extérieur est une représentation de quelque chose en nous. Par conséquent, tout ce que nous voyons à l'extérieur est une projection. Nous projetons notre énergie, positive ou négative, sur tout le monde et supposons qu'elle est en eux, en niant qu'elle est en nous.

Chaque fois que nous prononçons les mots "tu es", "il est" ou "elle est", nous projetons quelque chose de nous-mêmes sur cette personne. Nous projetons toujours nos peurs sur les autres, parce qu'il est plus confortable d'imaginer que quelqu'un d'autre possède les qualités que nous refusons d'avoir en nous.

Si vous enfouissez votre haine et l'exprimez sous la forme d'un ressentiment passif, vous projetterez de l'hostilité sur votre entourage et imaginerez que les gens sont violents, qu'ils le soient ou non. Vous imaginerez constamment et sélectivement des attitudes menaçantes qui ne sont ni intentionnelles ni exprimées.

Nous projetons nos insécurités et notre sexualité sur les autres. Une personne paranoïaque quant à la moralité des autres projette sa propre immoralité. Une *personne qui se méfie toujours d'être trahie projette sa propre tromperie intérieure. En conséquence, elle attire les traîtres dans sa vie. Une personne qui accuse son partenaire de la tromperie projette son propre manque de confiance dans la relation.*

D'un point de vue positif, nous projetons également nos brillantes qualités sur les autres. Chaque fois que nous pensons ou disons des choses positives sur les gens, nous projetons nos qualités. Nous projetons notre amour sur les autres, de sorte qu'une personne aimable s'imaginera que tout le monde autour d'elle est également aimable et attirera cette énergie dans sa vie.

Vierge. Loi de l'attention

Là où vous vous concentrez ou prêtez attention, cela se manifestera dans votre vie. Là où vous êtes attentif, votre intention se manifeste.

Cette loi spirituelle fait en sorte qu'un résultat se manifeste dans le pourcentage exact d'attention que vous lui accordez. L'attention est le centre de vos pensées et de vos actions. Toutes les actions diffèrent en fonction des attentes des gens. Deux personnes placées dans une situation similaire auront une image différente du résultat attendu. Par conséquent, chacune créera un résultat légèrement différent, car chaque personne crée sa propre réalité.

La seule chose qui vous empêche de réaliser vos rêves, ce sont vos doutes et vos peurs. Faites attention à l'endroit où vous placez vos pensées.

Rappelez-vous que le positif a une charge plus puissante que le négatif. Lorsque vous vous concentrez sur le positif, vos objectifs deviennent réalité. Concentrez-vous sur ce que vous voulez et vous l'obtiendrez.

Balance. Droit de la responsabilité

La responsabilité est la capacité de répondre de manière appropriée à une personne ou à une situation. Les défis sont envoyés par l'Univers pour tester la façon dont vous réagissez à chaque situation. Les épreuves répétées vous préparent au progrès spirituel. C'est à vous de démontrer votre capacité à assumer des responsabilités. Avant d'être promu, vous devez réussir les tests. Si vous affrontez tous les défis avec honnêteté et intégrité, votre progression spirituelle s'améliorera.

Si vous ne répondez pas au défi, il sera retiré et vous pourrez le soumettre à nouveau à une autre occasion. Vous exercez des responsabilités pour tout dans votre *vie. Vous devez prendre soin de vous, de vos enfants et de vos biens. Vous ne pourrez jamais prendre de responsabilités dans la vie si vous ne vous occupez pas de vos besoins. Vous devez prendre soin de vos émotions et de votre âme. Vous devez prendre soin de votre corps physique et de votre état émotionnel. Lorsque vous prenez la responsabilité de quelqu'un d'autre, vous n'êtes pas au service de sa croissance. Votre responsabilité est de renforcer les autres et de les encourager à prendre leurs responsabilités.*

Lorsque nous comprenons la loi spirituelle de la responsabilité, nous ne blâmons plus personne. Les circonstances ne nous définissent pas en tant que personnes, ce qui nous définit, c'est la façon dont nous réagissons à ces circonstances.

Scorpion. Loi de la rébellion

La loi de rébellion est toujours une loi de protection. Nous ne devrions jamais accepter tout ce que nous voyons, entendons ou croyons. Notre objectif est de discerner ce qui est juste et de remettre en question ce que nous pensons ne pas être juste.

Nous avons le droit de demander à une autre personne toute information pertinente que nous jugeons nécessaire lorsque nous rencontrons quelqu'un ou quelque chose de nouveau.

Dans cette double dimension, il y a l'obscurité et la lumière, le négatif et le positif. Tout ce qui est dans la lumière a une contrepartie dans l'obscurité. Votre tâche consiste à discerner entre le bien et le mal, à lancer des défis et à rendre votre lumière si forte que l'obscurité ne vous affecte pas.

Sagittaire. Loi de la clarté

Lorsque vous expliquez clairement ce que vous voulez, tout le monde comprend le message et réagit en conséquence.

Le manque de clarté consomme de l'énergie et vous maintient dans un état de confusion. La clarté ouvre de nouvelles portes et opportunités.

Il y a deux façons d'activer la loi de la clarté. Si vous vous sentez frustré et ne savez pas où aller, attendez patiemment et la voie s'ouvrira à vous, ce n'est qu'alors que vous pourrez faire le bon pas.

La seconde consiste à prendre une décision dans l'une ou l'autre direction ; faites donc appel à votre intuition lorsque vous placez votre pari. Il est important de prendre une décision, même si elle semble difficile. Si vous décidez de ne pas prendre de décision, c'est que vous l'avez déjà prise.

La clarté ouvre la porte de l'avenir, c'est pourquoi vous devez parler clairement à l'Univers de vos désirs et de vos besoins. Des intentions claires attirent de l'Univers ce dont vous avez besoin dans votre vie.

Capricorne. La loi des miracles

Au fur et à mesure que la conscience s'accroît, de plus en plus de personnes accèdent au Divin et beaucoup font l'expérience de miracles. Le pardon et l'amour inconditionnel sont des énergies qui permettent aux miracles de se produire. Les miracles sont le résultat naturel de l'activation d'énergies supérieures. Lorsque nous demandons aux Anges, ou à tout autre être de la hiérarchie spirituelle de la lumière, de nous aider, nous attirons la fréquence qui transcende nos lois physiques.

La synchronicité est une forme de miracle. Des forces spirituelles travaillent en coulisse pour coordonner et assurer la réalisation d'événements prédestinés.

Pour activer la loi des miracles, il suffit de demander.

Verseau. Loi de l'attachement

Nous pouvons avoir tout ce que nous voulons dans la vie, mais si notre estime de soi ou notre bonheur en dépendent, alors nous y sommes attachés. Ce à quoi nous sommes attachés peut nous manipuler et nous contrôler.

Les cordons énergétiques se forment entre les personnes qui ont des problèmes non résolus entre elles. Chaque fois que nous envoyons des pensées ou des mots de jalousie, de blessure, d'envie à quelqu'un, nous formons un cordon qui nous relie à cette personne.

Une pensée occasionnelle peut la dissoudre, mais si vous émettez constamment des sentiments négatifs, vous formerez des cordes. Celles-ci resteront et vous lieront jusqu'à ce qu'elles soient libérées.

Dans les vies futures, les cordons seront ravivés et vous attireront inévitablement vers ceux avec qui vous avez des problèmes non résolus. Cela se produit afin que l'âme ait la possibilité de faire les choses différemment. Nous pouvons nous attacher à des choses ou à des objets, ce que l'on appelle le "piège de la richesse".

En matière de relations, vous avez le droit de vivre une relation amoureuse avec votre partenaire. Cependant, le besoin vous lie à votre partenaire et vous fait faire des allers-retours émotionnels. Les relations de codépendance vous lient avec des ficelles, de sorte que vous êtes lié.

L'attachement est un amour conditionnel. L'amour incondtionnel relâche les liens qui vous unissent. Si vous avez besoin que quelqu'un se comporte d'une certaine manière pour l'aimer, ce n'est pas de l'amour, c'est de l'attachement.

Poissons. Loi de la prospérité

Si vous pensez que vous ne méritez pas la prospérité, vous ne pouvez pas la recevoir. Soyez-vous êtes conscient de la pauvreté, soit vous êtes conscient de l'abondance. Certaines personnes utilisent toute leur énergie à se concentrer sur ce qui leur manque.

L'égoïsme est une indigestion économique. Si vous accumulez de l'argent sur un compte sans le laisser circuler librement, vous finirez par dire à l'Univers que vous n'en avez plus besoin et il cessera de vous l'envoyer.

Si vous pensez que vous êtes indigne, vous manquerez des opportunités. Si vous êtes avare, vous ne serez jamais heureux, car la conscience de la pauvreté est une attitude. A

Qui ont un cœur généreux et un esprit ouvert seront toujours heureux. Leur attitude à l'égard de la prospérité consiste à utiliser les richesses avec sagesse.

Pensez, parlez, agissez et croyez en votre prospérité et vous impressionnerez l'Univers qui vous donnera beaucoup plus.

A propos des auteurs

Outre ses connaissances astrologiques, Alina A. Rubi possède une riche expérience professionnelle. Rubi possède une riche expérience professionnelle ; elle est certifiée en psychologie, hypnose, reiki, guérison bioénergétique avec des cristaux, guérison angélique, interprétation des rêves et est formatrice spirituelle. Rubi a des connaissances en gemmologie, qu'elle utilise pour programmer des pierres ou des minéraux et les transformer en puissantes amulettes ou talismans de protection.

Rubi a une nature pratique et orientée vers les résultats, ce qui lui a donné une vision spéciale et intégrative des différents mondes, facilitant la recherche de solutions à des problèmes spécifiques. Alina rédige des horoscopes mensuels pour le site web de l'Association américaine des astrologues, qui peuvent être consultés à l'adresse www.astrologers.com. Elle tient actuellement une chronique hebdomadaire dans le journal El Nuevo Herald sur des sujets spirituels, publiée tous les lundis en format numérique et imprimé. Il présente également un programme hebdomadaire et un horoscope sur la chaîne YouTube du journal. Son annuaire astrologique est publié chaque année dans le journal Diario las Américas, avec la rubrique Rubi Astrologer.

Rubi a écrit plusieurs articles sur l'astrologie pour la publication mensuelle "Today's Astrologer" et a donné des cours sur l'astrologie, le tarot, la lecture des lignes de la main, la guérison par les cristaux et l'ésotérisme. Elle diffuse des vidéos hebdomadaires sur des sujets ésotériques sur sa chaîne YouTube : Rubi Astrologer. Elle a son propre programme d'astrologie diffusé quotidiennement sur Flamingo T.V., a été interviewée par divers programmes télévisés et radiophoniques et publie chaque année son "Annuaire astrologique" avec l'horoscope signe par signe et d'autres sujets mystiques intéressants.

Elle est l'auteur des Balances "Riz et haricots pour l'âme" Partie I, II et III, une collection d'articles ésotériques publiées en anglais, espagnol, français, italien et portugais. De l'argent pour toutes les poches", "L'amour pour tous les cœurs", "La santé pour tous les corps", Annuaire astrologique 2021, Horoscope 2022, Rituels et sortilèges pour réussir en 2022 et 2023. Les sortes et secrets, les leçons d'astrologie, les rituels et sortes 2024 et l'horoscope chinois 2024 sont disponibles en cinq langues : anglais, italien, français, japonais et allemand.

Rubi parle couramment l'anglais et l'espagnol et combine tous ses talents et connaissances dans ses lectures. Elle vit actuellement à Miami, en Floride.

Pour plus d'informations, veuillez **consulter le site** *www.esoterismomagia.com.*

Alina A. Rubi est la fille d'Alina Rubi. Elle étudie actuellement la psychologie à l'Université internationale de Floride.

Elle s'intéresse à tous les sujets métaphysiques et ésotériques depuis son enfance et pratique l'astrologie et la Kabbale depuis l'âge de quatre ans. Elle connaît le tarot, le reiki et la gemmologie. En plus d'être auteur, elle est également l'éditrice, avec sa sœur Angeline A. Rubi, de tous les Balances publiés par elle et sa mère.

Pour de plus amples informations, veuillez contacter : **rubiediciones29@gmail.com**

Milton Keynes UK
Ingram Content Group UK Ltd.
UKHW030644201123
432908UK00017B/2045